# Tapas

## Correspondance des mesures

100 g = 3,5 onces (oz)

1 kg = 2,2 livres (lb)

100 ml = 0,42 tasse ou 3,5 onces liquides (oz liq)

1 cuil. à café = 5 ml

1 cuil. à soupe = 15 ml

95 °C = 200 °F

# Tapas

# Sommaire

Introduction

## Une infinie variété de tapas

Les comptoirs des bars à tapas sont bien garnis de plats creux et d'assiettes sur lesquels sont présentés les petits plats et les délicats canapés les plus divers. Ces petites bouchées sont si alléchantes qu'on ne peut leur résister.

De par leur origine, les tapas sont tous les petits plats qui réduisent le temps entre le déjeuner et le dîner. Différentes histoires à propos de l'origine des tapas circulent. On raconte par exemple qu'elles furent inventées par le roi d'Espagne Alphonse X. Celui-ci vécut au XIIIe siècle et, durant une période de maladie, il ne pouvait avaler que de petites bouchées avec son vin. Lorsqu'il eut recouvré la santé, il ordonna que plus jamais le vin ne soit servi en Espagne sans que quelque chose à manger ne soit offert en accompagnement. Cette belle histoire semble bien improbable et d'autres sources rapportent que les premiers tapas furent en réalité consommés par les paysans et par le peuple. En effet, ceux-ci devaient prendre des repas intermédiaires afin de pouvoir effectuer leur dur labeur sans devoir prendre un véritable repas entre-temps. On suppose que la culture des tapas est née de l'influence des Maures. On connaît

dans la culture culinaire nordafricaine l'usage de partager de petits repas entre convives et de les savourer en commun.

Quel que soit l'endroit d'où les tapas tiennent leurs origines, les bars qui les servaient se répandirent de plus en plus, et la grande période des tapas commença. Depuis cette époque, toutes les boissons servies dans des chopes ou des verres étaient toujours recouvertes d'une tranche de pain, de jambon fumé ou de fromage. Ainsi, ni la poussière ni les mouches ne pouvaient tomber dans le verre, et on pouvait manger quelque chose tout en consommant de l'alcool. Ces petits délices à déguster étaient appelés tapas, ce qui ne signifiait simplement « couvercle ». C'est ainsi qu'avec la consommation de tapas naquit une tradition espagnole, désormais populaire dans le monde entier. Au fil des siècles, cette tradition est devenue un mode de vie. La diversité de ces petits plats est immense. Ils sont servis dans de petits bols ou sur des assiettes puis consommés entre amis.

Les plus simples tapas peuvent aussi être très facilement réalisés à la maison avec les ingrédients que l'on peut toujours avoir en stock. Ainsi, de très fines tranches de jambon serrano, de salami et de chorizo, des olives aux différents

assaisonnements, du fromage en dés, du poivron en lanières et du pain blanc en tranches peuvent être préparés dans de petites coupelles en quelques instants.

Les variantes sont infinies ; il n'existe rien qui ne puisse être arrangé en quelque petite bouchée décorative. Ce peut être une simple salade composée de rondelles de tomates, présentée sur une assiette, assaisonnée d'oignon et d'ail, parsemée de persil et arrosée

de quelques gouttes d'une délicieuse huile d'olive. On peut aussi présenter et servir la salade non sur une assiette, mais sur du pain grillé ou du pain de campagne.

Mettez-vous à l'heure espagnole en vous lançant dans la préparation de toutes sortes de tapas !

Œufs et pâtes

# Empanadillas

## champignons et crevettes

**Pour 4 personnes**

1 paquet de pâte feuilletée
surgelée

2 oignons hachés

2 tomates coupées en dés

1 poivron vert coupé en dés

250 g de champignons variés

1 cuil. à café d'huile

sel

poivre

1 œuf dur

100 g de crevettes décortiquées

1/2 cuil. à café de piment fort
en poudre

1 jaune d'œuf pour dorer

Préparation : env. 25 min
(plus temps de cuisson)
Par personne, env. 236 kcal/992 kJ
Protéines 12 g , lipides 16 g,
glucides 12 g

1 Laisser décongeler la pâte feuilletée. Préchauffer le four à 200 °C (th. 6-7). Faire fondre le beurre et faire revenir les oignons. Ajouter et mélanger les tomates et le poivron. Laver les champignons, les couper en morceaux selon leur taille. Faire chauffer 1 cuillerée à soupe d'huile dans une poêle, faire cuire les champignons à feu vif. Saler et poivrer.

2 Écaler l'œuf, puis le hacher finement. Découper également les crevettes en petits morceaux. Incorporer l'œuf et les crevettes dans la poêle et faire cuire. Ajouter le piment, laisser mijoter 10 min en remuant de temps en temps. Saler, poivrer et lais-ser refroidir.

3 Dérouler la pâte feuilletée et découper des cercles de 15 cm de diamètre. Étaler la farce sur la moitié des cercles. Humecter le bord avec un peu d'eau, rabattre et appuyer fortement. Badigeonner de jaune d'œuf et faire cuire environ 15 min.

# Tortilla
## aux cèpes

**Pour 4 personnes**

200 g de cèpes

2 à 3 cuil. à soupe
d'huile aillée

sel

poivre

5 œufs

2 cuil. à café d'huile

brochettes en bois
pour servir

Préparation : env. 20 min
(plus temps de cuisson)
Par personne,
env. 393 kcal/1 649 kJ
Protéines 11 g, lipides 39 g,
glucides 2 g

1 Nettoyer les cèpes et les frotter à l'aide d'un torchon. Éventuellement, les laver et les sécher avec précaution.

2 Couper les cèpes en tranches et les disposer dans un plat creux. Arroser de quelques gouttes d'huile aillée, saler et poivrer.

3 Battre les œufs dans une terrine et ajouter les cèpes.

4 Faire chauffer l'huile à feu doux dans une poêle. Verser le mélange œufs-champignons et laisser prendre. Réduire le feu.

5 Retourner la tortilla à l'aide d'une assiette et faire dorer le second côté.

6 Couper la tortilla aux cèpes en dés et les servir chauds ou froids piqués sur des brochettes en bois.

# Tortillitas

## aux crevettes

**Pour 4 personnes**

8 cuil. à soupe de farine
de pois chiches

8 cuil. à soupe de farine
de blé

3 oignons

250 g de crevettes décortiquées

2 cuil. à soupe de persil haché

1 cuil. à café de sel marin

huile d'olive

Préparation : env. 15 min
(plus temps de repos et de cuisson)
Par personne, env. 180 kcal/760 kJ
Protéines 16 g, lipides 4 g,
glucides 19 g

1 Dans une terrine, mélanger la farine avec 250 ml d'eau froide pour en faire une pâte à crêpe épaisse et lisse. Éplucher les oignons et les couper en dés.

2 Nettoyer les crevettes, ôter l'intestin noir et les hacher finement. Incorporer les oignons, les cre-vettes et le persil haché à la pâte.

3 Saler la pâte et laisser gonfler au moins 3 h. Lorsque la pâte a épaissi, ajouter un peu d'eau.

4 Couvrir le fond d'une poêle avec environ 1/2 cm d'huile. Verser un peu de pâte dans la poêle à l'aide d'une cuillère à soupe.

5 Lisser les tas de pâte à l'aide d'une cuillère à soupe pour en faire des crêpes aussi fines que possible. Faire dorer les tortillitas des deux côtés et laisser égoutter sur du papier absorbant. Couper en petits morceaux et servir chaud.

# Tortilla
## au four

**Pour 4 personnes**

2 gousses d'ail

4 ciboules

1 poivron vert

1 poivron rouge

huile pour la cuisson

3 pommes de terre cuites

5 œufs

75 g de crème aigre
ou de crème fraîche

150 g de fromage espagnol
fraîchement râpé,
par ex. du roncal (fromage
de brebis)

2 cuil. à soupe de ciboulette
ciselée

sel

poivre

papier d'aluminium

huile pour le moule

bâtonnets en bois pour servir

Préparation : env. 25 min
(plus temps de cuisson)
Par personne,
env. 523 kcal/2 195 kJ
Protéines 23 g, lipides 42 g,
glucides 15 g

1 Chemiser un moule à gratin rectangulaire (env. 18 x 25 cm) de papier d'aluminium et badigeonner avec un peu d'huile. Préchauffer le four à 180 °C (th. 6).

2 Éplucher l'ail. Nettoyer, laver et couper les ciboules en petits morceaux. Nettoyer, laver et couper les poivrons en deux. Épépiner et couper le poivron en dés.

3 Faire chauffer un peu d'huile, faire revenir les ciboules et ajouter l'ail pressé. Incorporer le poivron et laisser mijoter environ 8 min. Laisser refroidir.

4 Couper les pommes de terre en dés et mélanger avec les légumes. Battre les œufs et mélanger avec la crème aigre, le fromage et la ciboulette. Incorporer le mélange de légumes, saler et poivrer.

5 Verser le tout dans le moule à gratin et lisser la surface. Faire cuire environ 35 min dans le four préchauffé à 180 °C (th. 6). Le mélange doit être pris aussi à l'intérieur.

6 Sortir du four, couper en dés et servir piqué sur des bâtonnets en bois.

# Tortilla de haricots
## au chorizo

**Pour 4 personnes**

3 tomates charnues

300 g de haricots blancs

8 ciboules

1 petit poireau

3 gousses d'ail

250 g de chorizo

6 cuil. à soupe d'huile d'olive

8 œufs

sel

poivre

1 bouquet garni haché : par
ex. basilic, thym, marjolaine

Préparation : env. 20 min
(plus temps de cuisson)
Par personne,
env. 505 kcal/2 121 kJ
Protéines 33 g, lipides 35 g,
glucides 15 g

1 Ébouillanter les tomates 30 secondes puis les monder. Enlever le pédoncule, épépiner et couper en petits morceaux. Laver les haricots. Nettoyer, laver et couper les ciboules et le poireau. Éplucher l'ail et couper le chorizo en tranches.

2 Faire chauffer 3 cuillerées à soupe d'huile, faire revenir 5 min les haricots et les ciboules. Ajouter le poireau et l'ail pressé. Laisser cuire environ 5 min.

3 Ajouter les tomates et le chorizo et laisser mijoter environ 5 min. Battre les œufs et ajouter du sel, du poivre et les herbes hachées.

4 Faire chauffer le reste d'huile dans une seconde poêle. Verser le mélange d'œufs, couvrir et laisser prendre à feu doux. Retourner la tortilla à l'aide d'une assiette et faire dorer l'autre côté. Plier la tortilla en deux, remplir avec le mélange de légumes et servir.

# Œufs pimentés
## à la tomate

**Pour 4 personnes**

6 tomates

1 oignon

1 gousse d'ail

1 piment fort rouge

1 poivron rouge

huile d'olive pour la cuisson

poivre

sel

4 œufs

4 fines tranches de chorizo

herbes pour la garniture

Préparation : env. 20 min
(plus temps de cuisson)
Par personne, env. 187 kcal/785 kJ
Protéines 12 g, lipides 12 g,
glucides 6 g

1 Préchauffer le four à 160 °C (th. 5-6). Ébouillanter les tomates 30 secondes, puis les monder, les épépiner et les couper en dés.

2 Éplucher l'oignon et l'ail, et couper en dés. Nettoyer le piment et le poivron, laver et couper en deux. Supprimer la base du pédoncule et les graines, et hacher finement la pulpe.

3 Faire chauffer un peu d'huile d'olive dans une sauteuse. Faire dorer l'oignon, ajouter le poivron, le piment, l'ail et les tomates. Laisser mijoter environ 12 min jusqu'à ce que la préparation épaississe. Saler et poivrer.

4 Répartir le mélange dans quatre plats creux résistants à la chaleur. Ménager un creux au centre et placer un œuf cru dans chaque plat.

5 Couvrir le jaune d'œuf à l'aide des tranches de chorizo et laisser prendre le blanc au four. Avant de servir, garnir d'herbes et servir avec du pain frais.

# Tortilla
## aux asperges

**Pour 4 personnes**

300 g d'asperges blanches

7 asperges vertes pour
la garniture

1 oignon

75 g de chorizo

3 pommes de terre
à chair ferme

100 ml d'huile d'olive

2 cuil. à soupe de beurre

6 œufs

sel

poivre

Préparation : env. 25 min
Par personne,
env. 485 kcal/2 037 kJ
Protéines 21 g, lipides 33 g,
glucides 26 g

1 Laver et peler les asperges. Faire cuire environ 15 min dans de l'eau légèrement salée afin qu'elles gardent leur croquant. Égoutter et couper les asperges blanches en tronçons de 5 cm. Placer les asperges vertes sur le côté.

2 Éplucher l'oignon et le couper en 8 morceaux. Ôter la peau du chorizo et le couper en dés. Éplucher les pommes de terre, les laver et les couper en fines tranches.

3 Faire chauffer la moitié de l'huile avec une cuillerée à soupe de beurre. Faire revenir les pommes de terre et l'oignon sans les faire dorer. Retirer et laisser égoutter. Battre les œufs, mélanger avec les pommes de terre et le chorizo. Incorporer les asperges, saler et poivrer.

4 Faire chauffer un peu d'huile avec une cuillerée à soupe de beurre. Laisser prendre le mélange pommes de terre-œufs 10 min. Retourner la tortilla à l'aide d'une assiette. Arroser d'un filet d'huile et garnir la tortilla d'asperges vertes. Poursuivre la cuisson 5 min.

# Œufs
## au xérès

**Pour 4 personnes**

150 ml de bouillon de veau

75 ml de xérès sec

5 à 7 brins de basilic

4 œufs

sel

poivre noir

pain frais pour servir

Préparation : env. 10 min
(plus temps de cuisson)
Par personne, env. 220 kcal/924 kJ
Protéines 18 g, lipides 14 g,
glucides 1 g

1 Verser le bouillon de veau dans une grande poêle. Ajouter le xérès et porter à ébullition.

2 Laver le basilic, secouer et enlever les feuilles des tiges. Ajouter les feuilles de basilic au bouillon dans la poêle et les laisser infuser environ 5 min.

3 Faire glisser un à un, avec précaution, 4 œufs crus dans le bouillon. Laisser pocher les œufs environ 3 min jusqu'à ce que le blanc soit ferme.

4 Dans le même temps, faire couler le bouillon sur les œufs. Les retirer à l'aide d'une écumoire et les disposer dans quatre plats creux préchauffés.

5 Laisser légèrement réduire le bouillon à feu vif, puis le verser sur les œufs.

6 Saler et poivrer les œufs au xérès. Servir avec du pain frais.

# Beignets
## d'olives

**Pour 4 personnes**

100 g de farine

2 œufs

sel

300 g d'olives noires

4 gousses d'ail

1 oignon

10 tomates séchées

1 cuil. à café de thym

piment de Cayenne

1/2 bouquet de persil

huile de friture

brochettes en bois pour servir

Préparation : env. 20 min
Par personne,
env. 513 kcal/2 153 kJ
Protéines 9 g, lipides 43 g,
glucides 24 g

1 Mélanger la farine avec les œufs et un peu de sel pour obtenir une pâte lisse. Laisser égoutter les olives, les dénoyauter et les hacher grossièrement. Verser le hachis d'olives dans la pâte et mélanger.

2 Éplucher l'ail et l'oignon, hacher finement et ajouter à la pâte aux olives.

3 Couper les tomates en dés et incorporer à la préparation. Ajouter le thym et un peu de piment de Cayenne.

4 Laver et égoutter le persil, puis le hacher finement. Ajouter aux autres ingrédients. Bien mélanger le tout.

5 Faire chauffer l'huile de friture à 180 °C. À l'aide d'une cuillère à soupe, former de petites boulettes avec la préparation. Faire frire 5 min jusqu'à ce que les beignets soient dorés.

6 Retirer les beignets de l'huile à l'aide d'une écumoire, les laisser égoutter sur du papier absorbant et les servir chauds, piqués sur de petites brochettes en bois.

# Pain perdu
## à l'ail

**Pour 4 personnes**

6 à 8 tranches de pain
de campagne

2 gousses d'ail

4 œufs

sel

poivre

huile d'olive pour la cuisson

Préparation : env. 15 min
Par personne, env. 212 kcal/888 kJ
Protéines 11 g, lipides 8 g,
glucides 23 g

1 Couper les tranches de pain en deux si elles sont grandes. Éplucher les gousses d'ail et les émincer très finement.

2 Battre les œufs avec du sel et du poivre, incorporer l'ail émincé et mélanger.

3 Faire chauffer un peu d'huile d'olive dans une poêle.

4 Plonger les tranches de pain dans les œufs battus de façon qu'elles soient entièrement recouvertes.

5 Faire cuire les tranches de pain des deux côtés dans l'huile chaude jusqu'à ce qu'elles soient dorées. Retirer de la poêle, laisser égoutter et servir immédiatement.

# Pains
## andalous

**Pour 4 personnes**

6 cuil. à soupe d'huile d'olive

2 cuil. à soupe de vinaigre
de xérès

sel

poivre

250 g de chorizo

1 oignon

400 g de pois chiches
(en boîte)

2 à 3 cuil. à soupe
de persil haché

pain pour la présentation

Préparation : env. 20 min
Par personne,
env. 535 kcal/2 247 kJ
Protéines 20 g, lipides 41 g,
glucides 23 g

1 Mélanger 5 cuillerées à soupe d'huile d'olive avec le vinaigre de xérès. Saler et poivrer.

2 Retirer la peau du chorizo, couper en fines tranches puis recouper les tranches en deux. Éplucher l'oignon et le hacher finement.

3 Faire chauffer l'huile restant et faire revenir l'oignon. Ajouter le chorizo et faire cuire environ 3 min à feu doux. Retirer de la poêle et incorporer la préparation au mélange d'huile d'olive.

4 Laisser égoutter les pois chiches, laver et sécher à l'aide de papier absorbant. Écraser la moitié des pois chiches à l'aide d'une fourchette, puis incorporer tous les pois chiches au mélange de chorizo.

5 Vérifier l'assaisonnement, saler et poivrer si nécessaire. Laver le persil, égoutter et hacher finement. Ajouter le persil à la préparation et mélanger. Disposer 2 cuillerées à café sur chaque tranche de pain.

# Tortilla
## de pommes de terre

**Pour 4 personnes**

4 grosses pommes de terre
1 gros oignon
100 ml d'huile d'olive
gros sel
5 œufs

Préparation : env. 25 min
Par personne,
env. 483 kcal/2 027 kJ
Protéines 14 g, lipides 34 g,
glucides 31 g

1 Éplucher les pommes de terre, laver et couper en rondelles de 3 mm d'épaisseur. Éplucher l'oignon et couper en fines rondelles.

2 Faire chauffer l'huile dans une poêle antiadhésive. Disposer les pommes de terre et les rondelles d'oignon en couches et saler chaque couche. Faire cuire à feu doux, juste à point, en remuant de temps en temps. Les pommes de terre ne doivent pas dorer. Laisser égoutter les pommes de terre et réserver l'huile.

3 Battre les œufs. Recouvrir les pommes de terre avec les œufs battus et laisser reposer 10 min.

4 Faire chauffer à feu vif 2 cuillerées à soupe d'huile et ajouter le mélange pommes de terre-œufs. Lisser la surface, puis réduire le feu.

5 Retourner la tortilla à l'aide d'une assiette et faire dorer l'autre côté. Couper la tortilla en triangles et servir chaud ou froid.

# Tortilla
## aux épinards

**Pour 4 personnes**

500 g d'épinards

4 pommes de terre

1 gros oignon

huile d'olive

25 g de pignons

gros sel

5 œufs battus

Préparation : env. 25 min
Par personne,
env. 332 kcal/1 396 kJ
Protéines 18 g, lipides 13 g,
glucides 33 g

*1* Nettoyer les épinards, bien laver et laisser égoutter. Éplucher, laver et râper les pommes de terre. Éplucher les oignons, couper en rondelles et faire dorer dans un peu d'huile d'olive.

*2* Ajouter les épinards et les pommes de terre, et faire fondre sans cesser de remuer. Retirer du feu et éliminer l'excédent d'huile à l'aide de papier absorbant. Verser les œufs battus sur les légumes et ajouter les pignons.

*3* Saler et faire cuire 5 min à feu moyen. Baisser le feu, retourner la tortilla et faire dorer l'autre côté. Couper la tortilla en cubes et servir froid.

# Beignets d'aubergine
## à la sauce tomate

**Pour 4 personnes**

2 aubergines
marjolaine hachée
1 oignon
1 gousse d'ail
4 tomates
2 cuil. à café d'huile
2 cuil. à soupe de persil haché
1 cuil. à soupe de jus
de citron
100 g de farine
100 ml de bière
1 pincée de levure chimique
huile de friture
sel

Préparation : env. 30 min
(plus temps de friture)
Par personne,
env. 273 kcal/1 145 kJ
Protéines 5 g, lipides 16 g,
glucides 26 g

1 Nettoyer les aubergines, éplucher et couper en tranches de 5 mm d'épaisseur. Parsemer avec un peu de marjolaine et empiler les tranches les unes sur les autres.

2 Pour la sauce tomate, éplucher et hacher finement l'oignon et la gousse d'ail. Ébouillanter les tomates environ 30 secondes puis les éplucher. Épépiner et couper la pulpe en dés. Faire revenir l'oignon et l'ail dans de l'huile. Ajouter les tomates et le persil, et laisser réduire environ 10 min. Incorporer le jus de citron.

3 Mélanger la farine, la bière et la levure chimique jusqu'à obtention d'une pâte lisse. Tremper chaque tranche d'aubergine dans la pâte, laisser égoutter et plonger immédiatement dans l'huile de friture bouillante.

4 Retourner les tranches d'aubergine à l'aide d'une cuillère en bois. Faire dorer les aubergines, retirer et laisser égoutter. Saler juste avant de servir pour éviter que la pâte ramollisse.

# Beignets

## au fromage

**Pour 4 personnes**

175 g de cabrales
(fromage bleu)

3 cuil. à soupe de farine

700 ml de lait

2 cuil. à soupe de beurre

1 œuf

3 biscottes

huile d'olive pour la friture


Préparation : env. 20 min
(plus temps de friture)
Par personne,
env. 448 kcal/1 880 kJ
Protéines 20 g, lipides 28 g,
glucides 30 g

1 Préparer une purée fine avec le fromage bleu, la farine et le lait à l'aide d'un mixeur.

2 Faire fondre le beurre dans une poêle. Ajouter le mélange au fromage et laisser mijoter à feu doux environ 15 min, sans cesser de remuer.

3 Transférer le mélange au fromage dans une terrine et laisser refroidir.

4 Battre l'œuf dans une assiette et râper finement les biscottes. À l'aide d'une cuillère à soupe, former de petites boulettes avec la préparation au fromage. Rouler les boulettes d'abord dans l'œuf puis dans la chapelure de biscotte.

5 Faire chauffer l'huile de friture. Faire frire les boulettes en plusieurs fois, jusqu'à ce qu'elles soient dorées.

6 Retirer, laisser égoutter et servir chaud.

# Œufs
## à l'andalouse

**Pour 4 personnes**

20 asperges vertes

sel

1 poivron rouge

1 oignon

3 gousses d'ail

400 g de tomates

2 cuil. à soupe d'huile d'olive pressée à froid

150 g de jambon serrano

2 petits chorizos

8 œufs

1 cuil. à soupe de persil haché

poivre

Préparation : env. 25 min
(plus temps de cuisson)
Par personne,
env. 365 kcal/1 533 kJ
Protéines 30 g, lipides 23 g,
glucides 8 g

1 Nettoyer les asperges et couper en tronçons de 5 cm. Faire cuire 8 min dans l'eau bouillante salée. Retirer et laisser égoutter.

2 Nettoyer le poivron, laver et couper en deux. Couper le pédoncule, épépiner et découper en dés. Hacher finement l'oignon, l'ail et les tomates mondées.

3 Faire chauffer l'huile et faire dorer l'oignon et l'ail 3 min. Ajouter les tomates et laisser cuire 10 min.

4 Couper le jambon et les saucisses en dés et laisser cuire 3 min à feu doux dans une seconde poêle. Retirer du feu.

5 Préchauffer le four à 200 °C (th. 6-7). Répartir le mélange de tomates dans quatre petits plats à four et ajouter 2 œufs crus dans chacun d'eux. Garnir avec le jambon, la saucisse, les asperges et le poivron. Parsemer de persil, saler et poivrer.

6 Laisser cuire 10 min au four jusqu'à ce que le blanc des œufs prenne, mais que le jaune reste liquide. Servir immédiatement accompagné de pain de campagne.

# Fèves

## aux œufs

**Pour 4 personnes**

2 échalotes
4 cuil. à soupe d'huile d'olive
750 g de fèves écossées
200 ml de vin blanc
sel
poivre
4 œufs
tranches de pain
de campagne grillées

Préparation : env. 15 min
(plus temps de cuisson)
Par personne,
env. 320 kcal/1 344 kJ
Protéines 15 g, lipides 13 g,
glucides 29 g

1 Préchauffer le four à 200 °C (th. 6-7). Éplucher les échalotes et émincer en fines rondelles.

2 Faire chauffer l'huile d'olive dans une poêle et faire blondir les oignons. Ajouter les fèves écossées et faire cuire 7 min sans cesser de remuer.

3 Mouiller avec le vin et 150 ml d'eau. Saler, poivrer, couvrir et laisser mijoter 10 min.

4 Répartir le mélange de fèves dans quatre plats creux résistants à la chaleur. Verser un œuf cru dans chaque plat, saler et poivrer.

5 Faire cuire au four jusqu'à ce que le blanc des œufs prenne. Servir immédiatement avec du pain de campagne grillé.

# Œufs

## diaboliques

**Pour 4 personnes**

8 œufs

1 ou 2 piments forts verts

2 gousses d'ail

1 oignon

2 cuil. à soupe d'huile d'olive

2 cuil. à café
de gingembre râpé

1 cuil. à café de cumin

sel

un peu de sucre

300 ml de bouillon de légumes

100 ml de crème liquide

Préparation : env. 15 min
(plus temps de cuisson)
Par personne,
env. 318 kcal/1 334 kJ
Protéines 17 g, lipides 25 g,
glucides 7 g

1 Faire durcir les œufs puis les écaler. Nettoyer les piments, laver et couper en deux. Couper le pédoncule, épépiner et couper les piments en dés.

2 Éplucher l'ail et les oignons. Couper les oignons en rondelles et piler l'ail dans un mortier.

3 Faire chauffer l'huile et faire revenir l'ail, le gingembre et l'oignon, jusqu'à ce que l'oignon ait blondi. Ajouter le piment, le cumin, le sel et le sucre, et laisser cuire encore 3 min.

4 Laisser refroidir, puis transférer dans un mixeur et mixer finement. Ajouter progressivement le bouillon de légumes chaud et la crème liquide. Transférer la préparation dans une casserole et porter à ébullition.

5 Plonger les œufs dans le bouillon chaud, réduire le feu et laisser mijoter environ 35 min. Servir les œufs chauds ou froids, accompagnés de pain frais.

# Empanadas
## aux épinards

**Pour 4 personnes**

30 g de beurre

20 g de margarine

75 ml de vin blanc

300 g de farine

sel

2 gousses d'ail

75 g de chorizo coupé en dés

500 g d'épinards

1 poivron

huile pour la cuisson
et la friture

poivre

farine pour étaler la pâte

Préparation : env. 30 min
(plus temps de refroidissement
et de friture)
Par personne,
env. 703 kcal/2 951 kJ
Protéines 15 g, lipides 45 g,
glucides 59 g

1 Faire chauffer le beurre avec la margarine, 75 ml d'eau et le vin, sans porter à ébullition. Retirer la casserole du feu, ajouter la farine et saler. Pétrir la pâte obtenue, couvrir et réserver 2 h au réfrigérateur.

2 Éplucher l'ail et couper en dés. Hacher finement le chorizo. Nettoyer les épinards, laver et hacher. Nettoyer le poivron, laver et couper en deux. Couper le pédoncule, épépiner et couper en dés.

3 Faire chauffer un peu d'huile et faire revenir l'ail et le chorizo. Ajouter les épinards et faire cuire environ 5 min. Laisser réduire le jus de cuisson et incorporer le poivron. Retirer du feu, laisser égoutter, saler et poivrer.

4 Étaler la pâte au rouleau et découper des cercles de 10 cm de diamètre. Placer un peu de légumes sur une moitié de la pâte, rabattre l'autre moitié. Appuyer fortement sur le bord de la pâte à l'aide d'une fourchette. Faire chauffer l'huile et faire frire les empanadas.

Légumes

# Champignons marinés
## au piment

**Pour 4 personnes**

500 g de champignons

2 à 5 gousses d'ail

1/2 bouquet de persil plat

2 ou 3 piments forts

3 cuil. à soupe de vinaigre balsamique

2 cuil. à soupe d'huile d'olive pressée à froid

sel

poivre fraîchement moulu

Préparation : env. 15 min
(plus temps de cuisson
et de repos)
Par personne, env. 48 kcal/200 kJ
Protéines 4 g, lipides 3 g,
glucides 2 g

1 Nettoyer les champignons, brosser et couper en fines tranches. Éplucher les gousses d'ail et hacher finement. Faire cuire les champignons 3 à 5 min dans une bonne quantité d'eau bouillante salée. Retirer de l'eau, laisser égoutter et mélanger avec l'ail dans un saladier.

2 Laver le persil, égoutter et hacher finement. Nettoyer les piments, laver et couper en deux. Couper le pédoncule, épépiner et hacher finement. Ajouter le piment aux champignons.

3 Bien mélanger le vinaigre, l'huile d'olive et le persil. Vérifier l'assaisonnement, saler et poivrer si nécessaire. Verser la vinaigrette sur les champignons et laisser mariner au moins 6 h. Remuer de temps en temps les champignons ou secouer le saladier.

# Cœurs d'artichauts
## à la sauce tomate

**Pour 4 personnes**

env. 16 cœurs d'artichauts
en boîte

2 oignons

2 gousses d'ail

4 tomates

un peu d'huile pour la cuisson

3 cuil. à soupe de vinaigre
de xérès

50 ml de xérès sec

4 cuil. à soupe d'huile d'olive

3 cuil. à soupe de mélange
d'herbes hachées, par ex.
basilic, marjolaine, persil,
thym

sel

1 pincée de sucre

poivre noir

Préparation : env. 25 min
(plus temps de marinade
et de cuisson)
Par personne, env. 81 kcal/340 kJ
Protéines 3 g, lipides 3 g,
glucides 7 g

1 Laisser égoutter les artichauts, couper en deux et réserver. Éplucher les oignons et l'ail, et hacher finement.

2 Ébouillanter les tomates 30 secondes, éplucher et couper en deux. Couper le pédoncule, épépiner et couper en petits dés.

3 Faire chauffer l'huile, ajouter les oignons et l'ail, et faire blondir. Ajouter les tomates et faire cuire environ 8 min à feu doux. Retirer du feu et laisser refroidir.

4 Mélanger le vinaigre de xérès et le xérès, puis ajouter l'huile d'olive en battant délicatement. Incorporer le mélange à la sauce tomate et ajouter les herbes hachées. Vérifier l'assaisonnement de la sauce tomate, saler et poivrer si nécessaire. Faire chauffer jusqu'à ce que la préparation épaississe.

5 Disposer les cœurs d'artichaut dans un plat de service et napper de sauce tomate. Couvrir le plat et réserver au moins 3 h au réfrigérateur. Servir accompagné de pain de campagne.

# Champignons
## aux pignons

**Pour 4 personnes**

700 g de champignons
2 oignons
huile d'olive pour la cuisson
poivre
sel
60 g de pignons
50 ml de xérès sec
un peu de persil pour
la garniture

Préparation : env. 15 min
(plus temps de cuisson)
Par personne, env. 137 kcal/573 kJ
Protéines 9 g, lipides 9 g,
glucides 4 g

1 Nettoyer les champignons puis les brosser et les couper en tranches. Éplucher les oignons et couper en rondelles.

2 Faire chauffer un peu d'huile dans une poêle et faire revenir les oignons sans cesser de remuer.

3 Lorsque les oignons sont dorés, ajouter les champignons et cuire environ 8 à 10 min. Saler et poivrer.

4 Faire griller à sec les pignons dans une autre poêle, en les retournant en permanence. Ajouter les pignons aux champignons et bien mélanger. Mouiller avec le xérès et mélanger.

5 Laver le persil, égoutter et hacher finement. En parsemer les champignons et servir.

# Endives

## aux anchois

**Pour 4 personnes**

2 endives

sel

1 gousse d'ail

huile d'olive pour la cuisson

2 ou 3 filets d'anchois

poivre

un peu de menthe fraîche

Préparation : env. 15 min
(plus temps de cuisson)
Par personne, env. 38 kcal/158 kJ
Protéines 6 g, lipides 1 g,
glucides 1 g

*1* Nettoyer les endives, laver et cuire dans de l'eau salée environ 10 min, afin qu'elles restent fermes. Retirer de l'eau et laisser égoutter. Couper les endives en deux dans le sens de la longueur et laisser refroidir.

*2* Éplucher l'ail et hacher très finement. Faire chauffer un peu d'huile d'olive dans une poêle et faire revenir l'ail environ 1 min.

*3* Rincer les filets d'anchois, égoutter et mixer très finement. Ajouter à l'ail dans la poêle et mélanger.

*4* Mettre les demi-endives dans la poêle et faire braiser environ 5 min. Saler et poivrer.

*5* Laver la menthe fraîche, égoutter et hacher finement. Disposer les endives dans la sauce, parsemer de menthe et servir.

# Olives marinées

**Pour 4 personnes**

env. 250 g de grosses olives
en bocal

1 gros oignon

3 gousses d'ail

1 feuille de laurier

3 cuil. à soupe d'huile d'olive

3 cuil. à soupe de vinaigre
de vin rouge

Préparation : env. 15 min
(plus temps de cuisson
et de macération)
Par personne, env. 132 kcal/554 kJ
Protéines 1 g, lipides 12 g,
glucides 3 g

1 Égoutter les olives dans une passoire. Éplucher l'oignon et hacher finement. Nettoyer l'ail non épluché et écraser à l'aide d'une lame de couteau.

2 Inciser les olives égouttées jusqu'au noyau dans le sens de la longueur.

3 Placer les olives dans une casserole avec l'oignon, l'ail, le laurier et le vinaigre, puis couvrir d'eau. Verser l'huile d'olive dans l'eau.

4 Porter les olives à ébullition et laisser mijoter à feu doux 4 à 6 h, jusqu'à ce que les olives soient cuites et l'eau presque entièrement évaporée.

5 Transférer les olives avec leur jus de cuisson dans un bocal, fermer hermétiquement et laisser macérer pendant quelques jours.

# Pommes de terre
## en robe des champs

**Pour 4 personnes**

750 g de petites pommes
de terre à chair ferme
sel marin
env. 150 g de mayonnaise
3 gousses d'ail
1/3 de bouquet de persil

Préparation : env. 25 min
(plus temps de cuisson)
Par personne,
env. 325 kcal/1 365 kJ
Protéines 5 g, lipides 21 g,
glucides 29 g

1 Brosser et laver les pommes de terre, et placer dans une casserole contenant de l'eau très salée. Ajouter autant de sel que nécessaire pour que les pommes de terre flottent. Si elles coulent, rajouter du sel. Porter à ébullition et faire cuire 15 à 20 min.

2 Pendant ce temps, éplucher l'ail, hacher finement et incorporer à la mayonnaise. Laver le persil, secouer et hacher finement. Ajouter à la mayonnaise et mélanger.

3 Vider l'eau des pommes de terre, saler dans la casserole et remettre sur le feu. Laisser le sel se cristalliser sur les pommes de terre à feu doux, sans cesser de remuer la casserole.

4 Dès que le sel est cristallisé, couvrir la casserole avec un torchon et laisser reposer 5 min. Servir les pommes de terre avec l'aïoli.

# Pommes de terre
## au chorizo

**Pour 4 personnes**

750 g de petites pommes
de terre à chair ferme

sel marin

100 g de chorizo

125 g de lard maigre

huile pour la cuisson

3 gousses d'ail hachées

1/2 bouquet de persil haché

Préparation : env. 25 min
(plus temps de cuisson)
Par personne,
env. 475 kcal/1 995 kJ
Protéines 10 g, lipides 36 g,
glucides 29 g

1 Brosser et laver les pommes de terre. Faire cuire
15 à 20 min, complètement immergées dans de
l'eau très salée, puis vider l'eau.

2 Couper le chorizo et 125 g de lard maigre en fines
tranches, et faire revenir dans un peu d'huile.
Ajouter l'ail et faire cuire 1 min, puis incorporer le persil. Transférer le mélange sur les pommes de terre.

3 Saler et remuer le récipient de cuisson jusqu'à ce
que les ingrédients soient bien mélangés. Servir
immédiatement.

# Chips boniato
## au mojo verde

**Pour 4 personnes**

huile pour la plaque de four

4 patates douces

2 blancs d'œufs

3 cuil. à soupe de piment
fort en poudre

1 pincée de piment

2 têtes d'ail

2 poivrons verts

1 cuil. à soupe
de cumin moulu

250 ml d'huile d'olive

1 bouquet de persil plat

un peu de vinaigre

sel

poivre

Préparation : env. 15 min
(plus temps de cuisson)
Par personne,
env. 645 kcal/2 709 kJ
Protéines 6 g, lipides 52 g,
glucides 40 g

1 Préchauffer le four à 225 °C (th. 7-8). Huiler une plaque de cuisson au four. Éplucher les patates douces, laver et émincer en fines tranches. Bien battre les blancs d'œufs avec 2 cuillerées à soupe de piment fort en poudre et le piment. Plonger les tranches de patate douce et bien mélanger.

2 Disposer les chips sur la plaque huilée. Faire dorer environ 30 à 35 min au four préchauffé à 225 °C (th. 7-8). Pendant ce temps, éplucher l'ail pour le mojo verde et passer au mixeur. Parer les poivrons et couper en deux, puis en gros morceaux.

3 Mélanger les poivrons avec le cumin et l'ail. Mixer le tout avec l'huile. Parer le persil, ciseler grossièrement et mixer avec la purée. Rectifier l'assaisonnement en ajoutant du vinaigre et du sel. Retirer les patates douces du four, saler, poivrer et saupoudrer avec le piment fort en poudre restant. Servir avec le mojo verde.

# Asperges
## sauvages

**Pour 4 personnes**

600 g d'asperges sauvages
ou d'asperges vertes
sel
1 œuf
1 cuil. à soupe de lait
6 cuil. à soupe d'huile d'olive
2 cuil. à soupe de farine
poivre

Préparation : env. 15 min
(plus temps de cuisson)
Par personne, env. 220 kcal/923 kJ
Protéines 5 g, lipides 20 g,
glucides 5 g

1 Nettoyer les asperges, laver et couper les pointes à environ 14 cm. Utiliser le reste de l'asperge pour d'autres plats.

2 Faire bouillir un peu d'eau dans un fait-tout et saler. Faire cuire ensuite les pointes d'asperges 2 à 3 min afin qu'elles restent fermes. Retirer de l'eau et égoutter soigneusement.

3 Battre l'œuf vigoureusement avec le lait. Faire chauffer l'huile dans une poêle.

4 Rouler les pointes d'asperges dans la farine, plonger dans le mélange œuf-lait et faire dorer immédiatement dans de l'huile d'olive très chaude.

5 Retirer les asperges à l'aide d'une écumoire et laisser égoutter sur du papier absorbant. Saler les pointes d'asperges dorées, poivrer et servir très chaud.

# Brochettes de bananes,
## dattes et pruneaux

**Pour 4 personnes**

12 pruneaux secs

24 amandes entières

beurre

env. 50 g de pistaches décortiquées

12 dattes

2 bananes fermes

env. 125 g de lard en fines tranches

brochettes en bois

Préparation : env. 15 min
(plus temps de cuisson
et de repos)
Par personne, env. 183 kcal/770 kJ
Protéines 4 g, lipides 6 g,
glucides 26 g

1 Faire tremper les pruneaux secs 2 h dans de l'eau chaude. Ébouillanter les amandes environ 1 min. Lorsque les coques peuvent s'écarter, vider l'eau et décortiquer.

2 Sécher les amandes à l'aide de papier absorbant. Faire dorer dans une poêle avec un peu de beurre chaud, puis réserver.

3 Jeter l'eau des pruneaux, laisser égoutter et sécher à l'aide de papier absorbant. Farcir avec des amandes et quelques pistaches.

4 Épépiner les dattes et les farcir aussi d'amandes et de pistaches. Éplucher les bananes et couper en morceaux.

5 Envelopper tous les fruits dans une demi-tranche de lard. Piquer le lard d'une brochette en bois. Disposer les fruits sur une plaque de four.

6 Faire cuire environ 5 à 10 min au four préchauffé à 200 °C (th. 6-7) jusqu'à ce que le lard brunisse. Consommer les brochettes de préférence chaudes ou tièdes.

# Concombre
## aigre-doux

**Pour 4 personnes**

2 concombres

3 cuil. à soupe d'huile d'olive

1 gousse d'ail

1 piment doux rouge

1 cuil. à soupe de vinaigre
de xérès

1 cuil. à soupe de câpres
en bocal

1 cuil. à café de sucre

2 amandes hachées

sel

poivre

un peu de persil pour
la garniture

Préparation : env. 15 min
(plus temps de cuisson)
Par personne, env. 118 kcal/494 kJ
Protéines 1 g, lipides 11 g,
glucides 4 g

1 Parer les concombres et sécher, puis couper en petits dés.

2 Faire chauffer l'huile dans une poêle et faire revenir les dés de concombre 4 min. Baisser le feu. Éplucher l'ail, presser et incorporer aux concombres.

3 Nettoyer le piment, laver et couper en deux. Couper le pédoncule, épépiner et couper en petits dés. Ajouter dans la poêle. Mélanger et poursuivre la cuisson 3 min.

4 Verser lentement le vinaigre, égoutter les câpres puis les incorporer. Compléter avec le sucre et 2 cuillerées à soupe d'eau.

5 Faire griller les amandes hachées à sec dans une poêle. Ajouter aux autres ingrédients et mélanger.

6 Saler et poivrer. Couvrir et laisser cuire 5 min. Laver le persil, égoutter et hacher finement. Parsemer les concombres avec le persil et servir immédiatement.

# Artichauts
## farcis

**Pour 4 personnes**

4 grosses tranches de pain de mie

8 cœurs d'artichauts en boîte

100 g de thon au naturel en boîte

1 gousse d'ail

3 cuil. à soupe d'huile d'olive

3 cuil. à soupe de tomates pelées en boîte

3 brins de persil

1 cuil. à soupe de ciboulette ciselée

Préparation : env. 15 min
(plus temps de cuisson)
Par personne, env. 199 kcal/837 kJ
Protéines 7 g, lipides 11 g,
glucides 17 g

1 Préchauffer le four à 175 °C (th. 6). Découper deux cercles de la taille des cœurs d'artichauts dans le pain de mie.

2 Rincer les artichauts, laisser égoutter dans une passoire puis faire sécher sur du papier absorbant. Égoutter le thon dans une passoire.

3 Éplucher l'ail. Verser l'huile d'olive dans une coupelle, presser l'ail puis l'ajouter. Bien mélanger.

4 Badigeonner les cercles de pain d'huile aillée. Disposer le pain sur une plaque de four et cuire des deux côtés au four préchauffé, jusqu'à ce qu'il soit croustillant.

5 Hacher finement les tomates à l'aide d'un couteau et les incorporer au thon. Laver le persil, égoutter et hacher finement. Ajouter le persil aux tomates et mélanger. Farcir les cœurs d'artichauts avec le mélange et disposer sur le pain. Parsemer de ciboulette et servir.

# Poivrons
## farcis

**Pour 4 personnes**

2 gros poivrons rouges

4 cuil. à soupe d'huile d'olive

jus et zeste d'un demi-citron

175 g de fromage de chèvre doux

2 brins d'origan

poivre noir

piques à cocktails pour servir

Préparation : env. 30 min
(plus temps de cuisson
et de macération)
Par personne, env. 140 kcal/589 kJ
Protéines 12 g, lipides 8 g,
glucides 6 g

1 Nettoyer les poivrons, laver et couper en deux. Couper le pédoncule et épépiner. Couper les demi-poivrons en quatre dans le sens de la longueur.

2 Faire chauffer 3 cuillerées à soupe d'huile d'olive dans une poêle. Faire braiser les lanières de poivron environ 10 min à couvert. Laisser refroidir dans le jus de cuisson. Pendant ce temps, laver le zeste de citron et sécher soigneusement. Râper le zeste et presser le citron.

3 Émietter le fromage de chèvre. Ajouter et mélanger le zeste de citron avec 1 cuillerée à soupe d'huile d'olive et éventuellement un peu de jus de cuisson. Incorporer l'origan au fromage. Rectifier l'assaisonnement en ajoutant du sel, un peu de jus de citron et beaucoup de poivre.

4 Laisser égoutter un peu les poivrons refroidis. Étaler le fromage sur les lanières de poivron et rouler celles-ci. Fermer les rouleaux à l'aide de piques à cocktail. Disposer les rouleaux sur une plaque, couvrir et laisser macérer au moins 1 h.

# Poivrons farcis
## aux olives

**Pour 4 personnes**

6 poivrons allongés

4 cuil. à soupe d'huile d'olive

2 oignons

6 gousses d'ail

100 g d'olives farcies

100 g de câpres

100 g de raisins secs

1 piment fort séché

3 cuil. à soupe de purée
de tomate

poivre

Préparation : env. 40 min
Par personne,
env. 345 kcal/1 449 kJ
Protéines 5 g, lipides 18 g,
glucides 39 g

1 Faire cuire les poivrons dans de l'huile, couper le sommet et épépiner. Éplucher les oignons et les gousses d'ail, et hacher finement. Mélanger avec les olives, les câpres finement hachées et les raisins secs.

2 Épépiner le piment sec, réduire en poudre et ajouter à la farce.

3 Laisser mijoter avec la purée de tomates et un peu de sel, jusqu'à ce que le jus de cuisson soit presque entièrement évaporé. Farcir les poivrons avec cette préparation et bien laisser macérer.

# Flamenquines

## aux carottes

**Pour 4 personnes**

8 carottes fines

sel

8 tranches de jambon

8 fines tranches
de manchego jeune

2 cuil. à soupe de persil haché

2 œufs

chapelure

huile pour frire

piques à cocktail pour servir

Préparation : env. 10 min
(plus temps de cuisson)
Par personne, env. 96 kcal/401 kJ
Protéines 10 g, lipides 5 g,
glucides 3 g

1 Nettoyer les carottes, laver et éplucher. Cuire à point 5 à 8 min dans de l'eau salée. Retirer de l'eau et égoutter.

2 Recouvrir les tranches de jambon de tranches de fromage. Disposer les carottes par-dessus et parsemer de persil. Rouler fermement et couper en bouchées.

3 Battre les œufs, rouler les bouchées d'abord dans l'œuf puis dans la chapelure. Faire chauffer l'huile, faire frire les bouchées en plusieurs fois ; le fromage doit fondre. Retirer de l'huile à l'aide d'une écumoire, égoutter et servir chaud piqués sur des bâtonnets en bois.

# Aubergines
## à la cannelle

**Pour 4 personnes**

4 petites aubergines

200 g de hachis d'agneau

1 oignon

3 gousses d'ail

1 œuf

2 cuil. à soupe de persil haché

1/2 cuil. à café de cannelle moulue

sel

poivre

150 g de manchego fraîchement râpé

125 ml d'huile d'olive

Préparation : env. 20 min
(plus temps de cuisson)
Par personne,
env. 428 kcal/1 796 kJ
Protéines 29 g, lipides 31 g,
glucides 9 g

1 Préchauffer le four à 200 °C (th. 6-7). Nettoyer et laver les aubergines. Les couper en deux dans le sens de la longueur et les évider. Hacher finement la chair des aubergines et la mélanger avec le hachis d'agneau.

2 Éplucher l'oignon et l'ail, hacher finement et ajouter à la farce. Incorporer l'œuf, le persil et la cannelle. Pétrir soigneusement la farce, et saler et poivrer généreusement.

3 Remplir les demi-aubergines avec la farce et garnir avec le fromage fraîchement râpé.

4 Faire chauffer l'huile dans un plat à gratin. Disposer les aubergines, puis couvrir le plat de papier d'aluminium.

5 Faire cuire les aubergines environ 40 min au four préchauffé à 200 °C (th. 6-7). Après 30 min, retirer le papier d'aluminium pour faire gratiner la farce.

# Champignons *farcis*

**Pour 4 personnes**

12 champignons de taille moyenne

jus de citron

4 gousses d'ail

40 g de beurre

1 cuil. à soupe de cognac

4 cuil. à soupe de chapelure

4 cuil. à soupe de persil haché

sel

poivre

Préparation : env. 15 min
(plus temps de cuisson)
Par personne, env. 120 kcal/504 kJ
Protéines 4 g, lipides 9 g,
glucides 6 g

1 Préchauffer le four à 200 °C (th. 6-7). Nettoyer les champignons et brosser. Détacher et hacher les pieds en petits morceaux. Arroser les champignons avec un peu de jus de citron pour éviter qu'ils ne noircissent.

2 Éplucher l'ail et hacher finement. Faire chauffer 30 g de beurre dans une poêle et faire revenir l'ail. Ajouter les pieds des champignons hachés et faire cuire 5 min sans cesser de remuer.

3 Retirer la poêle du feu et ajouter le cognac, la chapelure et le persil haché. Rectifier éventuellement l'assaisonnement en ajoutant du sel et du poivre.

4 Disposer les chapeaux des champignons dans un plat à gratin. Remplir les champignons avec la farce. Répartir le beurre restant dans le plat.

5 Faire dorer les champignons environ 12 min au four.

# Olives vertes
## à l'orange

**Pour 4 personnes**

200 g d'olives vertes en bocal
1 orange non traitée
1 citron non traité
poivre noir

Préparation : env. 10 min
(plus temps de macération)
Par personne, env. 209 kcal/879 kJ
Protéines 2 g, lipides 18 g,
glucides 9 g

1 Égoutter soigneusement les olives dans une passoire, puis les transférer dans un récipient hermétique. Laver l'orange et le citron à l'eau chaude, bien sécher et râper l'écorce.

2 Répartir le zeste de citron et d'orange sur les olives.

3 Presser le citron et l'orange, ajouter 2 à 3 cuil. à soupe de jus de citron et le jus d'orange sur les olives.

4 Saupoudrer avec beaucoup de poivre noir fraîchement moulu. Refermer le récipient hermétiquement et agiter vigoureusement.

5 Laisser les olives mariner au moins 2 jours avant de consommer. Secouer le récipient de temps en temps.

# Boulettes
## de poireaux

**Pour 4 personnes**

500 g de poireaux
2 cuil. à soupe d'huile d'olive
5 cuil. à soupe de bouillon de volaille
20 g de beurre
20 g de farine
150 ml de lait
1 œuf
chapelure
huile de friture
1 cuil. à soupe 1/2 de persil plat haché

Préparation : env. 10 min
(plus temps de cuisson)
Par personne,
env. 310 kcal/1 302 kJ
Protéines 7 g, lipides 27 g, glucides 11 g

1 Nettoyer les poireaux, laver soigneusement et couper en rondelles. Faire chauffer l'huile dans une poêle et faire cuire le poireau environ 5 min.

2 Verser progressivement le bouillon de volaille et faire cuire 10 à 15 min.

3 Faire fondre le beurre dans un fait-tout et confectionner un roux avec la farine. Ajouter le lait sans cesser de remuer. Porter à ébullition et laisser la sauce cuire environ 10 min.

4 Ajouter le poireau et le jus de cuisson dans la sauce, mélanger et laisser refroidir.

5 Former des boulettes de la taille d'une noix avec la préparation. Tremper les boulettes dans l'œuf battu, puis dans la chapelure.

6 Faire chauffer l'huile de friture et faire dorer les boulettes. Retirer de l'huile à l'aide d'une écumoire et laisser égoutter sur du papier absorbant. Parsemer de persil et servir.

# Champignons
## marinés

**Pour 4 personnes**

500 g de champignons
1 cuil. à soupe d'huile
500 ml de vin blanc
5 cuil. à soupe de xérès
1 cuil. à soupe de jus
de citron
2 ou 3 gousses d'ail
sel
poivre
1 piment doux
3 cuil. à soupe de persil haché

Préparation : env. 15 min
(plus temps de cuisson)
Par personne, env. 125 kcal/526 kJ
Protéines 4 g, lipides 1 g,
glucides 5 g

1 Nettoyer les champignons et brosser, puis faire revenir dans de l'huile.

2 Mouiller avec le vin blanc, le xérès et le jus de citron. Laisser mijoter environ 5 min.

3 Pendant ce temps, éplucher l'ail, presser et incorporer à la préparation. Saler et poivrer.

4 Nettoyer le piment, laver et couper en deux. Couper le pédoncule, épépiner et couper en rondelles fines.

5 Incorporer aux champignons avec le persil. Servir les champignons chauds ou froids.

# Artichauts
## marinés

**Pour 4 personnes**

12 petits cœurs
d'artichauts en bocal
1 oignon
3 cuil. à soupe d'huile d'olive
1 poivron vert coupé en dés
1 gousse d'ail
sel
poivre
1 brin de thym
200 ml de xérès
1 cuil. à soupe de vinaigre
de xérès
100 g de jambon serrano

Préparation : env. 20 min
(plus temps de macération)
Par personne, env. 200 kcal/840 kJ
Protéines 8 g, lipides 11 g,
glucides 5 g

1 Égoutter les cœurs d'artichauts. Éplucher l'oignon, hacher et faire blondir dans de l'huile. Ajouter le poivron. Éplucher l'ail, presser et incorporer au mélange. Saler et poivrer.

2 Laver le thym et ajouter au mélange. Ajouter le xérès et le vinaigre de xérès, et porter à ébullition. Ajouter les cœurs d'artichauts et cuire 15 min à feu doux.

3 Couper le jambon serrano en lanières étroites et incorporer à la préparation. Transférer les artichauts avec le jus de cuisson dans un saladier et laisser refroidir.

# Olives marinées
## au fenouil

**Pour 4 personnes**

200 g d'olives vertes en bocal

75 g de fenouil

quelques feuilles de fenouil

6 grains de coriandre

1 gousse d'ail

1 cuil. à soupe d'huile d'olive

1 cuil. à soupe de jus
de citron

sel

poivre noir

Préparation : env. 10 min
(plus temps de macération)
Par personne, env. 89 kcal/375 kJ
Protéines 2 g, lipides 8 g,
glucides 3 g

1 Égoutter les olives, puis les mettre dans un saladier. Émincer très finement le fenouil. Laver les feuilles de fenouil, égoutter et hacher très finement. Ajouter le fenouil et les feuilles aux olives.

2 Concasser la coriandre dans un mortier, puis incorporer aux olives. Éplucher l'ail, hacher finement et mélanger avec l'huile d'olive. Ajouter le jus de citron.

3 Assaisonner l'huile avec du sel et du poivre fraîchement moulu, puis verser sur les olives. Mélanger soigneusement et transférer dans un récipient hermétique. Laisser macérer au moins 48 h.

# Dattes
## au lard

**Pour 4 personnes**

12 dattes fraîches

125 g de fromage de chèvre doux

1 orange non traitée

1 pincée de piment de Cayenne

sel marin

12 petites tranches de lard

12 brins de romarin

2 cuil. à soupe d'huile

3 cuil. à soupe de jus de citron

grains de poivre rouge

Préparation : env. 15 min
(plus temps de cuisson)
Par personne,
env. 400 kcal/1 680 kJ
Protéines 18 g, lipides 19 g,
glucides 39 g

1 Faire préchauffer le four à 180 °C (th. 6). Dénoyauter les dattes et inciser légèrement dans le sens de la longueur. Couper le fromage en 12 morceaux.

2 Laver l'orange à l'eau chaude, sécher et retirer un peu de zeste à l'aide d'un canneleur. Remplir les dattes de fromage et de zeste d'orange, et saupoudrer avec un peu de piment de Cayenne.

3 Envelopper chaque datte avec une tranche de lard et maintenir à l'aide d'une branche de romarin.

4 Disposer les dattes sur une plaque de four, arroser d'un filet d'huile et faire cuire 10 min au four.

5 Arroser les dattes chaudes de jus de citron, parsemer de grains de poivre rouge et servir chaud.

# Salade
## russe

**Pour 4 personnes**

3 petites pommes de terre

1 carotte

1 petit chou-rave

sel

125 g de petits pois surgelés

1 poivron rouge

1 cuil. à soupe de câpres

3 œufs

1 jaune d'œuf

poivre

jus et zeste râpé

d'un demi-citron non traité

env. 150 ml d'huile

1 cuil. à soupe de persil haché

Préparation : env. 30 min
(plus temps de cuisson)
Par personne,
env. 403 kcal/1 691 kJ
Protéines 16 g, lipides 27 g,
glucides 24 g

1 Éplucher les pommes de terre, les carottes et le chou-rave. Laver les légumes et couper en petits morceaux. Faire cuire les légumes l'un après l'autre dans un peu d'eau salée bouillante, en veillant à ce qu'ils restent croquants.

2 Ébouillanter les petits pois pendant 1 min. Laver le poivron, nettoyer et couper en fines lanières. Égoutter les câpres. Faire durcir 3 œufs, puis les hacher.

3 Bien mélanger le jaune d'œuf avec du sel, du poivre, le jus et le zeste du citron. Ajouter l'huile goutte à goutte sans cesser de remuer jusqu'à ce que la mayonnaise prenne. Vérifier l'assaisonnement en ajoutant du sel et du poivre.

4 Mélanger avec les légumes et les câpres, laisser la salade s'imprégner. Parsemer avec le persil et les œufs hachés.

# Asperges vertes
## aux gambas

**Pour 4 personnes**

400 g d'asperges vertes
très fines

200 ml de bouillon de volaille

12 gambas prêtes à l'emploi

2 cuil. à soupe d'huile d'olive
pressée à froid

2 cuil. à café de jus de citron

sel

poivre

1 cuil. à café de persil haché

1/2 cuil. à café de thym

1 tomate

2 ou 3 champignons de taille
moyenne

Préparation : env. 20 min
(plus temps de cuisson
et de macération)
Par personne, env. 193 kcal/807 kJ
Protéines 28 g, lipides 6 g,
glucides 8 g

1 Parer les asperges. Mélanger le bouillon de volaille et 100 ml d'eau, et porter à ébullition. Plonger les asperges dans le bouillon, couvrir et laisser cuire 5 min afin qu'elles restent légèrement fermes.

2 Retirer les asperges cuites à l'aide d'une écumoire. Porter le bouillon de cuisson à ébullition et faire cuire les gambas 2 min. Retirer du bouillon, laisser refroidir puis décortiquer.

3 Mélanger l'huile avec le jus de citron, le sel et le poivre, et incorporer les herbes. Mettre les asperges et les gambas dans un plat, couvrir et réserver 2 h au réfrigérateur.

4 Ébouillanter les tomates 30 secondes, éplucher et couper en deux. Couper la base du pédoncule, épépiner et couper en petits dés.

5 Nettoyer les champignons, brosser et couper en tranches.

6 Disposer les asperges avec les gambas, garnir avec les tomates en dés et les champignons en tranches. Arroser avec un filet de sauce et servir à température ambiante.

# Tomates cerises séchées
## et marinées

**Pour 4 personnes**

250 g de tomates cerises

gros sel marin

1 cuil. à soupe de graines
de fenouil

2 piments doux rouges
séchés

huile d'olive

piques à cocktail pour servir

Préparation : env. 10 min
(plus temps de séchage
et de repos)
Par personne, env. 27 kcal/112 kJ
Protéines 1 g, lipides 2 g,
glucides 2 g

1 Préchauffer le four à 120 °C (th. 4). Nettoyer les
tomates, laver et essuyer. Couper les tomates en
deux et disposer sur une plaque de four, face coupée
vers le haut.

2 Saupoudrer les demi-tomates de sel marin.
Laisser sécher au moins 6 h au four préchauffé
à 120 °C (th. 4), en retournant une fois à mi-cuisson.

3 Lorsque les tomates sont complètement dessé-
chées, retirer du four et laisser refroidir.

4 Mettre les tomates refroidies dans une terrine,
couvrir d'eau bouillante et laisser reposer 10 min.
Égoutter les tomates et les éponger avec précaution
à l'aide de papier absorbant. Mélanger les tomates
avec les graines de fenouil et transférer dans un bocal
hermétique.

5 Émietter le piment et ajouter aux tomates.
Remplir le bocal avec autant d'huile d'olive que
nécessaire afin que les tomates soient recouvertes.
Fermer le bocal et laisser mariner au moins 24 h avant
de servir.

# Champignons
## grillés

**Pour 4 personnes**

1/2 citron vert
1 piment doux
3 gousses d'ail
75 ml d'huile d'olive pressée
à froid
1/3 de bouquet de persil
16 gros champignons
de Paris
sel
poivre

Préparation : env. 20 min
(plus temps de cuisson)
Par personne, env. 146 kcal/612 kJ
Protéines 3 g, lipides 14 g,
glucides 2 g

1 Laver le citron vert et essuyer. Râper l'écorce et presser le citron. Nettoyer le piment, laver et couper en deux. Couper le pédoncule, épépiner et hacher en petits morceaux.

2 Éplucher l'ail et hacher finement. Mélanger le zeste et le jus de citron, le piment, l'ail et l'huile d'olive dans un saladier. Laver le persil. Égoutter, hacher finement et ajouter à la sauce. Bien mélanger, saler et poivrer, puis réserver.

3 Préchauffer le gril du four à 225 °C (th. 7-8). Nettoyer les champignons, brosser et disposer dans un plat à gratin. Faire griller les champignons environ 4 min sous le gril du four, jusqu'à ce qu'ils rendent du jus.

4 Retourner les champignons et faire griller encore 4 min. Transférer les champignons cuits à point dans un saladier préchauffé et arroser avec la sauce. Laisser refroidir les champignons à température ambiante et servir.

# Aubergines grillées

**Pour 4 personnes**

2 aubergines

sel

huile pour la grille de four

3 gousses d'ail

3 cuil. à soupe de chapelure

3 cuil. à soupe de fromage
fraîchement râpé

3 cuil. à soupe d'huile d'olive

Préparation : env. 20 min
(plus temps de cuisson)
Par personne, env. 62 kcal/262 kJ
Protéines 3 g, lipides 3 g,
glucides 7 g

1 Nettoyer les aubergines, laver et couper en tranches de 1 cm d'épaisseur dans le sens de la longueur. Saler et laisser dégorger 15 min. Rincer et sécher soigneusement.

2 Faire griller 10 à 15 min au four préchauffé à 225 °C (th. 7-8) sur une grille huilée. Éplucher l'ail et hacher finement. Mélanger avec la chapelure, le fromage et l'huile d'olive.

3 Retirer les tranches d'aubergine, retourner et garnir avec le mélange précédent. Remettre au four jusqu'à ce que les tranches d'aubergines soient gratinées et servir.

Viandes

# Boulettes de viande
## aux dattes et aux amandes

**Pour 4 personnes**

150 g de riz cuit à point

500 g de hachis de porc

1 œuf

20 g d'amandes effilées grillées

sel

poivre

125 g de dattes

1/2 citron

1 cuil. à soupe de moutarde

4 cuil. à soupe de chapelure

huile d'olive pour la cuisson

4 oignons

100 ml de vin blanc

100 ml de bouillon de viande relevé

2 feuilles de laurier

Préparation : env. 25 min
(plus temps de cuisson)
Par personne,
env. 655 kcal/2 751 kJ
Protéines 29 g, lipides 31 g,
glucides 60 g

1 Mélanger dans une terrine le riz avec le hachis, l'œuf et les amandes, saler et poivrer. Dénoyauter les dattes, puis couper en dés et incorporer au hachis. Laver et essuyer le demi-citron, râper l'écorcer et ajouter à la farce avec la moutarde.

2 Avec les mains humides, former de petites boulettes. Rouler les boulettes dans la chapelure et faire cuire dans l'huile. Éplucher les oignons et couper en dés. Faire blondir dans un peu d'huile, ajouter progressivement le vin et le bouillon, et incorporer le laurier. Porter à ébullition et laisser mijoter environ 10 min.

3 Plonger les boulettes dans le bouillon et laisser mijoter 15 min. Laisser refroidir les boulettes dans le bouillon et servir avec du pain.

# Chevreau
## à la pastorale

**Pour 4 personnes**

1 kg de viande de chevreau sans os

2 à 3 cuil. à soupe de farine

6 gousses d'ail

75 ml d'huile d'olive

sel

2 cuil. à soupe de chapelure

100 g d'amandes

1 foie de chevreau

poivre

un peu de safran

2 cuil. à soupe de vinaigre de xérès

175 ml de xérès

Préparation : env. 15 min
(plus temps de cuisson)
Par personne,
env. 673 kcal/2 825 kJ
Protéines 61 g, lipides 39 g,
glucides 10 g

1 Découper la viande en gros cubes et les rouler dans la farine. Éplucher 3 gousses d'ail et faire revenir dans l'huile dans une grande sauteuse. Retirer de la sauteuse et réserver.

2 Faire revenir la viande en plusieurs fois dans la sauteuse avec l'huile de cuisson de l'ail. Saler, ajouter la moitié de l'ail et faire cuire encore 2 min.

3 Faire dorer les gousses d'ail restantes dans une poêle avec la chapelure, les amandes pelées et le foie paré.

4 Transférer le mélange dans un mortier et piler avec un peu de poivre, le safran et le vinaigre.

5 Ajouter la pâte obtenue à la viande. Allonger le xérès avec environ 150 ml d'eau.

6 Remuer, laisser braiser environ 15 min, jusqu'à ce que la viande devienne tendre et que la sauce épaississe.

# Côtelettes d'agneau
## au romarin

**Pour 4 personnes**

8 petites côtelettes d'agneau

3 cuil. à soupe d'huile d'olive

50 g de beurre

quelques brins de romarin

2 gousses d'ail

sel

poivre

Préparation : env. 15 min
Par personne,
env. 605 kcal/2 541 kJ
Protéines 51 g, lipides 45 g,
glucides 1 g

1 Éponger les côtelettes d'agneau à l'aide de papier absorbant. Faire chauffer l'huile d'olive avec le beurre dans une large poêle jusqu'à ce que le mélange devienne odorant.

2 Faire cuire les côtelettes d'agneau à feu vif environ 5 min dans la matière grasse chaude. Retourner les côtelettes et faire cuire l'autre côté.

3 Pendant ce temps, laver le romarin, égoutter et effeuiller. Ajouter le romarin à la viande dans la poêle et faire cuire 5 min.

4 Éplucher l'ail, hacher et incorporer à la sauce chaude.

5 Retourner de nouveau les côtelettes d'agneau. Saler, poivrer et disposer sur un plat de service.

# Filet de bœuf
## au jus de grenade

**Pour 4 personnes**

1 échalote

1 tomate

40 g de saindoux

500 g de filet de bœuf

sel

poivre

1 grosse grenade

100 ml de bouillon de viande

Préparation : env. 15 min
(plus temps de cuisson)
Par personne,
env. 328 kcal/1 376 kJ
Protéines 39 g, lipides 16 g,
glucides 6 g

1 Éplucher l'échalote et couper en petits dés. Ébouillanter la tomate environ 30 secondes, puis monder. Couper la base du pédoncule, épépiner et couper en dés.

2 Faire chauffer la matière grasse dans une cocotte. Faire rôtir la viande de tous les côtés. Retirer de la cocotte, saler, poivrer et réserver.

3 Faire revenir l'échalote dans la graisse de cuisson de la viande, ajouter la tomate et faire revenir 5 min, sans cesser de remuer.

4 Ouvrir la grenade. Extraire la pulpe et ajouter à la tomate. Remettre la viande dans la cocotte. Mouiller avec le bouillon, couvrir et laisser la viande mijoter environ 1 h à feu doux.

5 Retirer la viande, laisser reposer 10 min à découvert. Faire réduire le jus de cuisson du rôti. Rectifier l'assaisonnement en ajoutant éventuellement du sel et du poivre.

6 Découper la viande en fines tranches. Arroser avec la sauce et servir chaud ou froid.

# Aloyau de porc
## au chorizo

**Pour 4 personnes**

600 g de filet de porc

6 gousses d'ail

1 brin d'origan

1 feuille de laurier

sel

poivre

2 petits chorizos, env. 200 g

1 cuil. à café de paprika
en poudre

50 g de saindoux

Préparation : env. 15 min
(plus temps de cuisson)
Par personne,
env. 595 kcal/2 499 kJ
Protéines 53 g, lipides 42 g,
glucides 3 g

1 Découper le filet de porc en cubes. Éplucher l'ail et hacher grossièrement.

2 Laver l'origan, égoutter, effeuiller puis le hacher finement.

3 Mettre les cubes de viande dans une cocotte. Ajouter l'ail, le laurier, l'origan ainsi qu'un peu de sel et de poivre. Mouiller avec environ 175 ml d'eau, couvrir et laisser la viande mijoter 10 à 15 min.

4 Couper les chorizos en rondelles et ajouter à la viande. Incorporer le paprika en poudre et le saindoux. Laisser mijoter encore quelques minutes à découvert jusqu'à ce que la viande devienne tendre et que l'eau soit presque entièrement évaporée.

5 Laisser cuire encore un peu la viande en mélangeant bien avec le jus de cuisson et servir.

# Foie épicé
## au majado

**Pour 4 personnes**

1 kg de foie de porc
2 à 3 cuil. à soupe de farine
huile pour la cuisson
sel
poivre
8 gousses d'ail
5 tiges d'origan
125 ml de vinaigre
de vin rouge
125 ml d'huile d'olive
1 cuil. à soupe de paprika fort

Préparation : env. 20 min
(plus temps de macération
et de cuisson)
Par personne,
env. 650 kcal/2 730 kJ
Protéines 50 g, lipides 46 g,
glucides 10 g

1 Parer le foie de porc, découper en petits morceaux et fariner légèrement. Faire chauffer de l'huile dans une poêle et faire revenir uniformément les morceaux de foie. Saler, poivrer généreusement et réserver.

2 Pour le majado, éplucher l'ail et piler dans un mortier ou passer au mixeur. Laver l'origan, égoutter et piler dans un mortier ou passer au mixeur. Mélanger l'ail et l'origan.

3 Réduire le mélange en une purée fine dans le mortier ou au mixeur. Ajouter le vinaigre, l'huile d'olive et le paprika en poudre, et bien mélanger. Saler et poivrer. Si le majado est trop épais, ajouter un peu d'eau.

4 Répartir le majado sur le foie, couvrir et laisser macérer toute la nuit. Le lendemain, placer le tout dans une cocotte, porter à ébullition sans cesser de remuer et laisser mijoter environ 15 min. Servir encore chaud, accompagné de pain frais.

# Ragoût de veau
## au maïs et au piment doux

**Pour 4 personnes**

750 g de viande de veau coupée en cubes

sel

poivre

3 gousses d'ail hachées

1 cuil. à soupe de persil haché

2 cuil. à soupe d'huile d'olive

1 oignon haché

1 tomate mondée et coupée
en dés

1 poivron coupé en dés

150 ml de bouillon de volaille

1 boîte de maïs, env. 200 g

1/2 cuil. à café de cumin

1/2 cuil. à café de paprika
en poudre

1 piment doux vert coupé
en dés

10 tomates allongées

Préparation : env. 15 min
(plus temps de macération
et de cuisson)
Par personne,
env. 398 kcal/1 670 kJ
Protéines 45 g, lipides 14 g,
glucides 22 g

1 Mélanger la viande de veau avec le sel, le poivre, 1
gousse d'ail hachée et le persil. Laisser macérer
environ 1 h.

2 Faire chauffer l'huile et faire revenir uniformément la viande à feu doux. Ajouter l'oignon, les
dés de tomate et le poivron, et cuire jusqu'à ce que
l'oignon et le poivron soient tendres. Mouiller avec le
bouillon, porter à ébullition. Couvrir et laisser mijoter
40 min.

3 Égoutter le maïs. Mixer le cumin avec l'ail restant, le paprika en poudre, le piment doux et une
pincée de sel. Incorporer à la viande. Ébouillanter les
tomates 30 secondes puis les monder et couper en
petits morceaux. Ajouter les morceaux de tomates à
la viande et laisser mijoter environ 20 min.

4 Après 10 min de cuisson, ajouter le maïs et poursuivre la cuisson jusqu'à ce que la viande soit à
point. Servir accompagné de pain de campagne.

# Brochettes de lièvre
## aux olives

**Pour 4 personnes**

500 g de filet de lièvre

1 brin de thym

5 cuil. à soupe de xérès sec

sel

poivre

3 oranges

2 cuil. à soupe de vinaigre
de xérès

4 cuil. à soupe d'huile d'olive

12 à 24 olives vertes

huile pour la cuisson

12 brochettes en bois

Préparation : env. 20 min
Par personne,
env. 408 kcal/1 712 kJ
Protéines 30 g, lipides 24 g,
glucides 13 g

1 Découper le filet de lièvre en cubes. Laver le thym, égoutter et effeuiller.

2 Mélanger les feuilles de thym, le xérès et les cubes de viande. Saler, poivrer et laisser macérer un peu.

3 Pendant ce temps, éplucher les oranges et émincer à l'aide d'un couteau tranchant. Mélanger l'orange avec le vinaigre de xérès, l'huile d'olive, le sel et le poivre.

4 Piquer la viande sur les brochettes humidifiées en alternant avec les olives.

5 Faire griller ou cuire les brochettes de tous les côtés 5 min au barbecue ou à la poêle dans un peu d'huile.

6 Arroser les brochettes avec la sauce à l'orange et servir immédiatement, accompagné des tranches d'orange de la sauce.

# Lapin
## au safran

**Pour 4 personnes**

20 filaments de safran

2 oignons rouges

3 gousses d'ail

6 cuil. à soupe d'huile d'olive

12 petites pattes avant
de lapin

sel

250 ml de vin blanc sec

1 feuille de laurier

8 grains de poivre noir

1 cuil. à café de paprika
en poudre

5 brins de thym

Préparation : env. 15 min
(plus temps de cuisson)
Par personne, env. 222 kcal/931 kJ
Protéines 20 g, lipides 9 g,
glucides 6 g

1 Faire tremper le safran dans 4 cuillerées à soupe d'eau chaude. Couper les oignons en rondelles, éplucher l'ail et hacher finement.

2 Faire chauffer 2 cuillerées à soupe d'huile d'olive, faire revenir les oignons et l'ail. Retirer de la poêle et y verser 4 cuillerées à soupe d'huile d'olive.

3 Faire revenir uniformément la viande lavée et séchée 10 min. Retirer de la poêle, saler et vider l'huile.

4 Déglacer la poêle avec le vin et porter à ébullition. Ajouter les oignons, l'ail, le laurier et le safran avec son eau.

5 Ajouter les grains de poivre, le paprika en poudre et le thym ainsi que la viande. Ajouter suffisamment d'eau pour juste recouvrir la viande. Couvrir et laisser mijoter environ 1 h.

6 Disposer la viande dans de petits bols et arroser avec la sauce. Si la sauce est trop liquide, laisser préalablement réduire quelques instants.

# Brochettes
## à la mauresque

**Pour 4 personnes**

150 ml d'huile d'olive

1 cuil. à café de thym haché

2 cuil. à soupe de persil haché

1 cuil. à café de piment fort
en poudre

2 cuil. à café de cumin moulu

1 cuil. à café de paprika doux
en poudre

poivre

700 g de viande de porc

12 à 16 brochettes en bois


Préparation : env. 15 min
(plus temps de macération
et de cuisson)
Par personne,
env. 633 kcal/2 657 kJ
Protéines 37 g, lipides 54 g,
glucides 3 g

1 Verser l'huile d'olive dans une terrine. Laver le thym et le persil, égoutter, hacher finement et ajouter à l'huile d'olive.

2 Ajouter aussi le piment en poudre, le cumin moulu, le paprika en poudre et un peu de poivre. Mélanger délicatement.

3 Découper la viande en cubes d'environ 2 x 2 cm. Transférer les cubes de viande dans le mélange de condiments et mélanger. Couvrir et laisser mariner toute la nuit au réfrigérateur.

4 Le lendemain, retirer la viande de la marinade et piquer sur les brochettes humidifiées. Préchauffer le barbecue. Verser la marinade dans une casserole et porter à ébullition.

5 Faire griller les brochette environ 5 à 10 min au barbecue en arrosant régulièrement de marinade. Servir chaud.

Volailles

# Cuisses de poulet
## à l'andalouse

**Pour 4 personnes**

6 à 8 cuisses de poulet
sel
poivre
huile pour la cuisson
10 olives noires en bocal
1 piment doux rouge
3 tomates séchées
3 gousses d'ail
75 ml de xérès sec

Préparation : env. 15 min
(plus temps de cuisson)
Par personne,
env. 700 kcal/2 940 kJ
Protéines 42 g, lipides 56 g,
glucides 4 g

1 Saler et poivrer les cuisses de poulet, puis faire dorer à la poêle dans un peu d'huile. Couvrir et laisser cuire environ 30 minutes. Laisser refroidir. Détacher la chair des os et découper en gros morceaux. Égoutter les olives, dénoyauter et couper en rondelles.

2 Nettoyer les piments doux, laver et couper en deux. Couper le pédoncule, épépiner et hacher finement. Couper les tomates en dés, éplucher l'ail et émincer.

3 Préchauffer le four à 150 °C (th. 5). Mélanger la viande, l'ail, le piment, les tomates et les olives, puis transférer le tout dans un plat à gratin. Arroser avec le xérès et faire cuire la viande environ 20 min à 150 °C (th. 5).

# Foies de volaille
## au vinaigre de xérès

**Pour 4 personnes**

500 g de foies de volaille

1 cuil. à café de paprika
en poudre

sel

poivre

50 g de beurre

2 échalotes

4 cuil. à soupe de vinaigre
de xérès

1 cuil. à café de sucre

1 gousse d'ail

300 ml de bouillon de volaille
relevé

Préparation : env. 20 min
(plus temps de cuisson)
Par personne,
env. 458 kcal/1 922 kJ
Protéines 45 g, lipides 21 g,
glucides 21 g

1 Nettoyer les foies de volaille, laver et sécher. Mélanger le paprika en poudre avec le sel et le poivre et y rouler les foies de volaille.

2 Faire chauffer la moitié du beurre et faire bien cuire les foies de volaille sans cesser de remuer. Retirer du feu et réserver au chaud.

3 Éplucher les échalotes, hacher finement et faire dorer dans le jus de cuisson des foies de volaille. Ajouter le vinaigre et le sucre. Éplucher l'ail, hacher et incorporer à la sauce.

4 Faire cuire jusqu'à ce que la sauce soit presque entièrement évaporée.

5 Ajouter le bouillon de volaille et laisser réduire de moitié à feu vif.

6 Couper le beurre restant en morceaux et incorporer au bouillon. Rectifier éventuellement l'assaisonnement de la sauce en ajoutant du sel et du poivre. Incorporer les foies de volaille et servir.

# Pilons de poulet
## aux pignons

**Pour 4 personnes**

1 gousse d'ail

1 oignon

2 cuil. à soupe d'huile d'olive

8 à 10 pilons de poulet

sel

poivre

2 cuil. à soupe de xérès

50 g de pignons

200 ml de vin blanc

Préparation : env. 15 min
(plus temps de cuisson)
Par personne,
env. 400 kcal/1 680 kJ
Protéines 31 g, lipides 26 g,
glucides 3 g

1 Éplucher l'ail et l'oignon et couper en dés. Faire chauffer l'huile d'olive dans une poêle et faire blondir l'ail et l'oignon.

2 Saler et poivrer régulièrement les pilons, mettre dans la poêle et faire revenir de tous les côtés. Ajouter le xérès.

3 Ajouter les pignons et le vin. Couvrir et laisser mijoter à feu doux.

4 Retourner de temps en temps les pilons. Après environ 35 min, la viande est à point et doit se détacher facilement de l'os.

# Poulet
## à la sauce miel-moutarde

**Pour 4 personnes**

4 blancs de poulet

sel

poivre

2 œufs

2 à 3 cuil. à soupe de farine

huile d'olive

50 g de miel

1 cuil. à café de moutarde de Dijon

1 cuil. à café de vinaigre de xérès

Préparation : env. 20 min
(plus temps de cuisson)
Par personne,
env. 273 kcal/1 145 kJ
Protéines 40 g, lipides 7 g,
glucides 12 g

1 Découper les blancs de poulet en cubes d'environ 2,5 x 2,5 cm. Mettre dans une terrine, saler et poivrer.

2 Ajouter les œufs crus à la viande et mélanger.

3 Saupoudrer de farine et remuer de nouveau. Ajouter autant de farine que nécessaire pour que la viande ne goutte plus.

4 Faire chauffer l'huile d'olive dans une poêle et faire revenir la viande environ 15 min, en remuant de temps en temps.

5 Retirer la poêle du feu, saler et poivrer.

6 Mélanger le miel avec la moutarde et le vinaigre de xérès, et servir avec la viande.

# Poulet
## à l'orange

**Pour 4 personnes**

1 blanc de poulet sans os
ni peau, env. 600 g

2 cuil. à soupe de xérès
demi-sec

jus et zeste d'une orange

4 cuil. à soupe d'huile d'olive

sel

poivre

200 g de confiture d'orange

1 cuil. à soupe de raisins secs

2 prunes dénoyautées
ou compote de prunes

2 cuil. à soupe de cerneaux
de noix

Préparation : env. 25 min
(plus temps de macération
et de cuisson)
Par personne,
env. 348 kcal/1 460 kJ
Protéines 32 g, lipides 4 g,
glucides 39 g

1 Découper la viande en cubes de 2,5 x 2,5 cm environ. Pour la marinade, mélanger le xérès avec 4 cuillerées à soupe de jus d'orange, 2 cuillerées à soupe d'huile d'olive, du sel, du poivre et le zeste d'orange. Ajouter la viande, couvrir et laisser mariner toute la nuit au réfrigérateur.

2 Pour la sauce, mélanger la moitié de la confiture, les raisins secs et les prunes en tranches ou la compote de prunes dans une cocotte. Couvrir et laisser mijoter à feu doux environ 10 min.

3 Retirer le couvercle et laisser mijoter encore 5 min. Laisser refroidir et incorporer la confiture restante. Concasser grossièrement les noix et incorporer à la préparation avec 3 cuillerées à soupe de jus d'orange et 1 cuillerée à soupe d'eau.

4 Retirer la viande de la marinade et la sécher, en réservant le zeste d'orange. Faire dorer uniformément la viande 5 à 8 min dans l'huile d'olive restant. Dès que la viande est cuite mais encore juteuse, incorporer le zeste d'orange. Servir avec la sauce.

# Ailerons de poulet
## à la riojana

**Pour 4 personnes**

12 ailerons de poulet

sel

poivre

1 à 2 cuil. à soupe de farine

250 ml d'huile d'olive

1/2 tête d'ail

2 brins de thym

1 brin de persil

2 oignons

1 feuille de laurier

1 cuil. à soupe de paprika en poudre

125 ml de vin blanc

1 cuil. à soupe de miel

Préparation : env. 25 min
(plus temps de cuisson)
Par personne,
env. 563 kcal/2 363 kJ
Protéines 26 g, lipides 49 g,
glucides 5 g

1 Saler et poivrer les ailerons de poulet, puis rouler dans la farine. Faire chauffer l'huile d'olive et faire revenir le poulet environ 5 min. Retirer du feu et réserver.

2 Éplucher l'ail et écraser les gousses. Laver les herbes et égoutter. Éplucher les oignons et couper en rondelles. Faire revenir l'ail, les oignons, le laurier et le thym dans le jus de cuisson du poulet. Dès que les oignons dorent, ajouter le persil et le paprika en poudre.

3 Mouiller immédiatement avec le vin et laisser mijoter 5 min, puis incorporer le miel. Verser le mélange bouillant sur les ailerons de poulet et laisser mariner plusieurs heures, en remuant de temps en temps.

4 Avant de servir, faire réchauffer les ailerons de poulet et servir très chaud.

# Cuisses de canard
## à l'orange

**Pour 4 personnes**

4 à 6 cuisses de canard
sel
poivre
1 oignon
4 gousses d'ail
2 carottes
1 orange
1 cuil. à soupe de beurre
fondu
1 cuil. à café de farine
1 feuille de laurier
1 piment fort séché
500 ml de vin blanc sec
175 g d'olives vertes
sucre
1 cuil. à soupe de vinaigre
de vin

Préparation : env. 25 min
(plus temps de cuisson)
Par personne,
env. 558 kcal/2 342 kJ
Protéines 28 g, lipides 40 g,
glucides 13 g

1 Préchauffer le four à 225 °C (th. 7-8). Saler et poivrer les cuisses de canard. Éplucher l'oignon et l'ail, et hacher finement. Éplucher les carottes et couper en rondelles. Laver l'orange à l'eau chaude, essuyer et couper en tranches.

2 Faire cuire les cuisses de canard dans le beurre fondu dans une cocotte. Faire cuire aussi l'oignon, l'ail et les carottes. Saupoudrer le tout de farine. Ajouter le laurier, le piment séché et les tranches d'orange. Faire cuire environ 20 min à 200 °C (th. 6-7) au four préchauffé. Arroser de vin et cuire encore 20 min.

3 Dénoyauter les olives et couper en rondelles. Retirer le canard, le laurier, le piment séché et les tranches d'orange du plat. Laisser la sauce réduire d'un tiers, et y faire réchauffer les olives. Rectifier l'assaisonnement de la sauce en ajoutant sel, poivre, sucre et vinaigre. Servir les cuisses de canard avec la sauce.

# Poulet au chorizo
## et au poivron

**Pour 4 personnes**

400 g de blancs de poulet

100 g de chorizo

3 poivrons

1 bouquet de ciboulette chinoise

1 orange non traitée

4 cuil. à soupe d'huile d'olive

sel

poivre

Préparation : env. 20 min
(plus temps de cuisson)
Par personne,
env. 345 kcal/1 449 kJ
Protéines 31 g, lipides 21 g,
glucides 8 g

1 Découper les blancs de poulet et le chorizo en dés. Ouvrir le poivron en deux, épépiner et couper en fines lanières.

2 Laver la ciboulette, égoutter et ciseler à l'aide de ciseaux de cuisine.

3 Laver l'orange, essuyer et râper finement le zeste. Presser une demi-orange.

4 Dans une terrine, mélanger le poulet et le chorizo avec le poivron, deux tiers de la ciboulette, le zeste et le jus d'orange ainsi que 2 cuillerées à soupe d'huile d'olive.

5 Faire chauffer l'huile d'olive restante dans une poêle. Faire revenir uniformément le mélange de viande environ 7 min, jusqu'à ce que la viande soit à point.

6 Saler et poivrer. Parsemer avec la ciboulette restante et servir.

# Brochettes de poulet
## au crabe

**Pour 4 personnes**

2 tourteaux frais (env. 700 g)
ou des crevettes
sel
500 g de blancs de poulet
100 ml de vin blanc sec
100 g de tomate (en boîte)
2 gousses d'ail
poivre
200 g de mayonnaise
8 à 12 brochettes en bois

Préparation : env. 25 min
(plus temps de cuisson)
Par personne,
env. 535 kcal/2 247 kJ
Protéines 67 g, lipides 24 g,
glucides 7 g

1 Plonger les crabes dans de l'eau bouillante légèrement salée et faire cuire environ 5 min jusqu'à
ce qu'ils rosissent.

2 Retirer de l'eau, laisser refroidir et détacher les
pinces du corps. Extraire la chair et couper en
morceaux.

3 Découper les blancs de poulet en cubes. Faire
pocher 6 min dans le vin blanc. Retirer du vin et
laisser refroidir.

4 Pour la mayonnaise à l'ail, passer les tomates
au mixeur. Éplucher l'ail, écraser et ajouter aux
tomates. Saler, poivrer et réduire en purée. Ajouter
la mayonnaise et mixer avec le reste.

5 Piquer la viande sur les brochettes en alternant
avec la chair de crabe et disposer sur un plat.
Servir avec la mayonnaise à l'ail et à la tomate.

# Cailles au vinaigre
## de xérès

**Pour 4 personnes**

4 cailles prêtes à l'emploi
sel
poivre
150 g de raisins sans pépins
100 ml d'huile d'olive
4 oignons
10 gousses d'ail
2 feuilles de laurier
6 cuil. à soupe de vinaigre
de xérès
16 tranches de lard maigre
quartiers de citron pour
la garniture

Préparation : env. 20 min
(plus temps de cuisson)
Par personne,
env. 458 kcal/1 922 kJ
Protéines 38 g, lipides 28 g,
glucides 12 g

1 Saler et poivrer les cailles. Éplucher les raisins et couper en deux.

2 Faire chauffer la moitié de l'huile dans une cocotte et faire rôtir les cailles. Éplucher les oignons et l'ail, et hacher finement.

3 Faire chauffer l'huile restante dans une poêle et faire blondir les oignons et l'ail. Ajouter le laurier et faire cuire encore 1 min.

4 Transférer le contenu de la poêle dans la cocotte et ajouter du sel, du poivre et le vinaigre. Faire revenir le lard dans la même poêle.

5 Couvrir les cailles et laisser mijoter à feu doux. Couper les cailles en quatre et garnir chaque morceau avec quelques raisins et une tranche de lard. Servir accompagné de quartiers de citron.

# Filet de poulet
## au xérès

**Pour 4 personnes**
600 g de blancs de poulet
sel
poivre
1 à 2 cuil. à soupe de farine
2 cuil. à soupe d'huile d'olive
250 ml de xérès sec
125 ml de bouillon de volaille
2 gousses d'ail
1 brin de thym
75 g d'olives farcies
au poivron

Préparation : env. 15 min
(plus temps de cuisson)
Par personne,
env. 255 kcal/1 071 kJ
Protéines 36 g, lipides 5 g,
glucides 3 g

1 Découper les blancs de poulet en cubes d'environ 3 x 3 cm. Saler, poivrer et rouler dans la farine.

2 Faire chauffer l'huile d'olive dans une poêle et faire revenir le poulet uniformément en plusieurs fois. Retirer de la poêle et réserver.

3 Dégraisser le jus de cuisson. Ajouter le xérès et le bouillon de volaille, et porter à ébullition.

4 Éplucher l'ail, hacher et ajouter au bouillon. Laver le thym et incorporer aussi. Laisser réduire la sauce d'un tiers à découvert.

5 Remettre la viande dans la poêle et faire cuire encore 10 min.

6 Couper les olives en tranches, ajouter à la viande et faire chauffer 5 min. Servir accompagné de pain de campagne.

# Poulet au xérès
## et aux champignons

**Pour 4 personnes**

500 g de blancs de poulet

250 g de champignons
de Paris

4 cuil. à soupe d'huile d'olive

150 ml de xérès doux

150 ml de crème liquide

1 cuil. à soupe 1/2 de jus
de citron

sel

poivre

persil pour la garniture

Préparation : env. 20 min
(plus temps de cuisson)
Par personne,
env. 400 kcal/1 680 kJ
Protéines 33 g, lipides 24 g,
glucides 3 g

1 Découper les blancs de poulet en cubes. Nettoyer les champignons, brosser et couper en quatre.

2 Faire cuire les blancs de poulet 5 min à la poêle dans l'huile d'olive bouillante, sans cesser de remuer.

3 Ajouter les champignons en morceaux et poursuivre la cuisson 2 min.

4 Ajouter le xérès et la crème liquide. Porter à ébullition et laisser cuire environ 1 min à feu vif.

5 Rectifier l'assaisonnement en ajoutant le jus de citron, du sel et du poivre. Laver le persil, égoutter et hacher finement. Parsemer le poulet de persil et servir accompagné de pain frais.

# Poulet
## à l'aïoli

**Pour 4 personnes**

500 g de blancs de poulet
1 à 2 gousses d'ail
100 ml de vin blanc sec
100 ml d'huile d'olive
2 feuilles de laurier
1/2 piment doux rouge coupé en dés
1 cuil. à café de thym sec
1/2 cuil. à café de cumin
sel
poivre
6 brins de persil
5 cuil. à soupe de chapelure
200 g d'aïoli

Préparation : env. 15 min
Par personne,
env. 450 kcal/1 890 kJ
Protéines 38 g, lipides 27 g,
glucides 11 g

1 Découper les blancs de poulet en lanières. Éplucher l'ail et hacher finement. Mélanger le vin avec l'huile d'olive, le laurier, le piment doux, le thym, le cumin, le sel et le poivre. Plonger les lanières de poulet dans la marinade obtenue et mélanger.

2 Laver le persil, égoutter et hacher finement. Mélanger le persil et la chapelure.

3 Préchauffer le gril du four à la température maximale. Disposer le poulet sur une grille sous le gril préchauffé et faire rôtir environ 5 min. Retourner la viande en cours de cuisson. Servir les lanières de poulet avec l'aïoli.

# Brochettes de lotte
## à la mauresque

**Pour 4 personnes**

500 g de lotte

sel marin

1 poivron rouge

8 gambas décortiquées

un peu d'huile d'olive

poivre

paprika fort en poudre

8 brochettes en bois

Préparation : env. 20 min
(plus temps de macération)
Par personne, env. 167 kcal/702 kJ
Protéines 30 g, lipides 4 g,
glucides 2 g

1 Découper le poisson en morceaux de 4 cm. Frotter avec du sel marin et réserver 15 min. Nettoyer le poivron, laver et couper en deux. Couper le pédoncule, épépiner et couper en 12 lanières.

2 Piquer le poisson, les gambas et le poivron sur les brochettes, en terminant par du poisson. Badigeonner avec un peu d'huile et poivrer.

3 Faire griller environ 2 min au gril très chaud. Retourner, badigeonner de nouveau avec un peu d'huile et saupoudrer de paprika en poudre. Poursuivre la cuisson 2 min.

# Sardines
## farcies

**Pour 4 personnes**

2 poivrons rouges
125 g de beurre
1 kg de sardines fraîches
sel marin
2 cuil. à soupe de chapelure
4 cuil. à soupe d'huile d'olive

Préparation : env. 30 min
(plus temps de cuisson)
Par personne,
env. 570 kcal/2 394 kJ
Protéines 50 g, lipides 39 g,
glucides 6 g

1 Laver les poivrons et couper en deux. Nettoyer et couper en fines lanières.

2 Faire fondre 80 g de beurre dans une poêle et faire cuire les lanières de poivron à feu doux.

3 Nettoyer les sardines, retirer délicatement les arêtes et les viscères. Laver les poissons avec précaution et laisser égoutter sur du papier absorbant.

4 Préchauffer le four à 180 °C (th. 6). Saupoudrer les sardines de sel marin, remplir de poivron et refermer en appuyant fortement.

5 Disposer les sardines dans un plat résistant au four en les serrant les unes contre les autres, répartir les lanières de poivron restantes et arroser avec l'huile d'olive.

6 Parsemer de chapelure. Disposer des noix du beurre restant et faire cuire environ 15 à 20 min au four.

# Croquettes
## de morue séchée

**Pour 4 personnes**

400 g de morue séchée

400 g de pommes de terre

3 gousses d'ail

1 bouquet de persil

40 g de pignons

un peu d'huile

poivre

sel

un peu de paprika en poudre

3 œufs

farine

chapelure

huile de friture

Préparation : env. 30 minutes
(plus temps de cuisson)
Par personne,
env. 558 kcal/2 342 kJ
Protéines 87 g, lipides 15 g,
glucides 18 g

1 Faire tremper le poisson 24 h dans de l'eau froide, en changeant l'eau de temps en temps. Égoutter, émietter et retirer toutes les arêtes.

2 Laver les pommes de terre et faire cuire 20 min à l'eau. Éplucher et réduire en purée. Éplucher l'ail et hacher finement. Laver le persil, égoutter et hacher finement. Faire griller les pignons à la poêle dans un peu d'huile.

3 Mélanger le poisson, la purée, l'ail et le persil, saler, poivrer et saupoudrer de paprika en poudre. Bien mélanger et laisser reposer 15 min.

4 Battre les œufs, puis mélanger la farine avec la chapelure dans une assiette.

5 Avec les mains mouillées, former de petites croquettes à partir du mélange de poisson et de pommes de terre. Rouler d'abord les croquettes dans la chapelure, dans l'œuf puis de nouveau dans la chapelure.

6 Faire chauffer l'huile de friture et faire frire les croquettes en plusieurs fois. Retirer les croquettes à l'aide d'une écumoire et laisser égoutter sur du papier absorbant. Servir très chaud.

# Anchois
## farcis

**Pour 4 personnes**

1 filet d'anchois à l'huile
par anchois frais
500 g d'anchois frais
1 œuf
un peu de farine
4 cuil. à soupe de chapelure
huile d'olive pour la friture
quelques quartiers de citron

Préparation : env. 25 min
(plus temps de cuisson)
Par personne,
env. 247 kcal/1 036 kJ
Protéines 33 g, lipides 10 g,
glucides 5 g

1 Faire tremper les filets d'anchois à l'huile dans de l'eau froide. Pendant ce temps, nettoyer les anchois frais et retirer délicatement les arêtes et les viscères.

2 Laver soigneusement les poissons, essuyer et écarter les flancs.

3 Dans chaque anchois, disposer un filet d'anchois à l'huile égoutté, puis refermer.

4 Battre l'œuf. Rouler les anchois d'abord dans la farine, puis dans l'œuf et enfin dans de la biscotte râpée ou de la chapelure.

5 Faire chauffer de l'huile d'olive pour la friture et faire frire les poissons en plusieurs fois.

6 Retirer les poissons et égoutter sur du papier absorbant. Garnir avec des quartiers de citron et servir.

# Fruits de mer
## grillés

**Pour 4 personnes**

1 oignon

1 ou 2 gousses d'ail

2 tomates

3 cuil. à soupe d'huile d'olive

500 g de moules cuites

175 g de crevettes décortiquées

250 g de rondelles de calmars prêtes à l'emploi

125 ml de vin rouge

75 ml de fumet de poisson
ou de jus de cuisson
des moules

1 cuil. à soupe de purée
de tomates

1 à 2 cuil. à café de paprika
en poudre

1 pincée de piment
de Cayenne

5 brins de persil

quelques tranches de pain

Préparation : env. 20 min
(plus temps de cuisson)
Par personne,
env. 515 kcal/2 163 kJ
Protéines 52 g, lipides 21 g,
glucides 20 g

1 Éplucher l'oignon et l'ail, et hacher l'oignon finement. Ébouillanter les tomates 30 secondes, puis
monder et couper en deux. Couper le pédoncule, épépiner et hacher finement la chair.

2 Faire chauffer l'huile d'olive dans une poêle et
faire blondir l'oignon. Ajouter les moules, les
crevettes et les rondelles de calmar, et faire cuire.
Mouiller avec le vin et le bouillon. Hacher l'ail et
ajouter à la préparation. Incorporer les tomates, la
purée de tomates, le paprika en poudre et le piment
de Cayenne.

3 Bien mélanger, couvrir et laisser mijoter environ
15 min, en remuant de temps en temps.

4 Laver le persil, égoutter et hacher finement.
Ajouter 1 cuillerée à soupe de persil aux fruits
de mer, mélanger et poursuivre la cuisson encore
5 min. Disposer les fruits de mer sur des tranches de
pain frais, parsemer avec le persil restant et servir.

# Sardines frites
## à l'ail

**Pour 4 personnes**

6 gousses d'ail

1 bouquet de persil

3 cuil. à soupe de chapelure

500 g de sardines

4 cuil. à soupe d'huile d'olive

gros sel marin

1 citron

Préparation : env. 25 min
(plus temps de cuisson)
Par personne,
env. 298 kcal/1 250 kJ
Protéines 26 g, lipides 18 g,
glucides 7 g

1 Préchauffer le four à 175 °C (th. 6). Éplucher l'ail et hacher finement. Laver le persil, égoutter et hacher finement. Mélanger l'ail avec le persil et la chapelure.

2 Nettoyer les sardines, retirer délicatement les arêtes et les viscères. Laver soigneusement les poissons, sécher et écarter les flancs.

3 Disposer les sardines sur une plaque de four et arroser avec un peu d'huile d'olive. Saler.

4 Rouler les sardines dans le mélange à l'ail et les disposer de nouveau sur la plaque. Arroser encore une fois d'huile d'olive.

5 Faire cuire environ 15 min au four préchauffé à 175 °C (th. 6). Presser le citron et arroser les sardines avant de servir.

# Thon mariné
## à l'orange

**Pour 4 personnes**

4 oranges

4 tranches de thon frais,
env. 125 g

sel

poivre

2 cuil. à soupe d'huile d'olive

2 cuil. à soupe de jus
de citron

2 cuil. à soupe de xérès sec

2 cuil. à café de moutarde

un peu de sucre fin

2 brins de thym

Préparation : env. 20 min
Par personne,
env. 393 kcal/1 649 kJ
Protéines 29 g, lipides 22 g,
glucides 18 g

1 Éplucher 2 oranges, émincer en fins quartiers en réservant le jus. Éplucher 1 ou 2 oranges à l'aide d'un économe, découper le zeste en lanières très fines (environ 1 cuillerée à soupe). Presser les oranges.

2 Saler et poivrer le thon. Faire chauffer l'huile et faire cuire le thon sur tous les côtés environ 3 min. Il doit rester rose à cœur.

3 Retirer de la poêle, découper en lanières d'environ 1 cm d'épaisseur et disposer dans un plat creux. Mélanger le jus de citron avec le xérès, la moutarde, le jus d'orange, une pointe de sucre, du sel et du poivre.

4 Verser la sauce sur le thon. Laver le thym, égoutter et effeuiller. Servir le thon garni avec des feuilles de thym, des morceaux et du zeste d'orange.

# Tartare
## de thon

**Pour 4 personnes**

500 g de thon frais

1 cornichon

2 cuil. à soupe de câpres
en bocal

1 citron

vinaigre de vin blanc

huile d'olive

1 brin de basilic

1 piment doux haché

3 cuil. à soupe de persil finement haché

poivre

aneth pour la garniture

citron pour la garniture

Préparation : env. 20 min
(plus temps de macération
et de congélation)
Par personne,
env. 328 kcal/1 376 kJ
Protéines 29 g, lipides 20 g,
glucides 5 g

1 Congeler complètement le thon. Laisser légèrement dégeler et couper en tous petits dés.

2 Placer les dés de thon dans une terrine. Égoutter
le cornichon et couper en petits morceaux.
Égoutter également les câpres et hacher finement.

3 Ajouter le cornichon et les câpres au thon. Presser
le citron et verser le jus sur le thon. Arroser avec
un peu de vinaigre et d'huile d'olive. Mélanger soigneusement et laisser macérer 1 h.

4 Laver le basilic, égoutter et effeuiller. Hacher
finement et mélanger avec le thon. Incorporer
aussi le piment haché et le persil.

5 Répartir le tartare dans 4 ou 5 ramequins, préalablement rincés à l'eau, tasser la préparation
et démouler.

6 Garnir le tartare avec de l'aneth et du citron et,
saupoudrer de poivre fraîchement moulu.

# Sardines
## frites

**Pour 4 personnes**

500 g de petites sardines

75 ml de vinaigre de vin rouge

4 gousses d'ail

1 feuille de laurier

2 cuil. à café d'origan haché

sel

poivre

farine

huile de friture

2 œufs

Préparation : env. 30 minutes
(plus temps de macération
et de cuisson)
Par personne,
env. 318 kcal/1 334 kJ
Protéines 29 g, lipides 22 g,
glucides 2 g

*1* Nettoyer les sardines, retirer les arêtes et les viscères avec précaution. Laver délicatement les poissons, égoutter et ouvrir les poissons.

*2* Mélanger le vinaigre de vin avec 75 ml d'eau. Éplucher l'ail, hacher finement et ajouter au vinaigre. Incorporer aussi le laurier, l'origan, le sel et le poivre, puis mélanger soigneusement.

*3* Laisser mariner les sardines au moins 3 h dans le mélange obtenu.

*4* Retirer de la marinade et laisser égoutter sur du papier absorbant. Refermer les sardines et rouler dans la farine.

*5* Faire chauffer l'huile de friture. Battre les œufs avec 1 cuillerée à soupe d'eau, y rouler les sardines de sorte qu'elles soient bien recouvertes.

*6* Faire frire les sardines immédiatement dans l'huile bouillante. Laisser égoutter les sardines sur du papier absorbant et servir immédiatement.

# Maquereaux
## marinés

**Pour 4 personnes**

3 petits oignons rouges

2 gousses d'ail

1 bulbe de fenouil

2 carottes

8 filets de maquereau frais

275 ml d'huile d'olive pressée à froid

2 feuilles de laurier

2 piments doux séchés

300 ml de vinaigre de xérès

1 cuil. à soupe de graines de coriandre

Préparation : env. 30 minutes
(plus temps de cuisson)
Par personne,
env. 550 kcal/2 310 kJ
Protéines 32 g, lipides 44 g,
glucides 8 g

1 Éplucher les oignons et l'ail. Émincer les oignons en fines rondelles et hacher finement l'ail.

2 Nettoyer le fenouil, laver et couper en deux. Recouper en fines lanières. Nettoyer les carottes, éplucher et couper en fines rondelles.

3 Disposer les filets de poisson, peau vers le haut, sur une grille et badigeonner d'huile. Faire griller environ 5 min sous le gril du four chaud jusqu'à ce que la peau devienne croustillante. Retirer et réserver.

4 Faire chauffer l'huile restante et faire blondir les oignons. Ajouter les carottes, le laurier, l'ail, le piment, le fenouil, le vinaigre et les graines de coriandre. Couvrir et laisser mijoter 10 min jusqu'à ce que les carottes soient cuites.

5 Couper le poisson en morceau en supprimant la peau et les arêtes. Transférer dans une terrine et recouvrir avec le jus de cuisson. La terrine doit être remplie entièrement. Laisser refroidir complètement et fermer hermétiquement.

6 Laisser le poisson mariner au moins 24 h au réfrigérateur. Servir les morceaux de maquereau sur des tranches de pain grillé.

# Bouchées
## de morue

**Pour 4 personnes**

250 g de morue séchée avec
la peau mais sans arêtes
75 ml d'huile d'olive
5 gousses d'ail
1/2 piment doux rouge
1/2 œuf battu

Préparation : env. 15 min
(plus temps de trempage
et de cuisson)
Par personne,
env. 242 kcal/1 014 kJ
Protéines 13 g, lipides 21 g,
glucides 1 g

1 Laisser tremper le poisson recouvert d'eau 2 à 3 jours au réfrigérateur. Remplacer l'eau une ou deux fois par jour. Ensuite, bien laisser égoutter.

2 Faire chauffer l'huile dans une poêle. Éplucher l'ail, émincer finement et faire revenir. Ajouter le piment et faire cuire.

3 Retirer l'ail et réserver. Plonger le poisson, peau vers le bas, dans l'huile bouillante et faire frire 3 min, en remuant de temps en temps.

4 Faire cuire le poisson de l'autre côté. Ajouter 1 cuillerée à soupe d'eau, couvrir et laisser cuire 15 min. Retirer le poisson et le piment, et couper le poisson en morceaux.

5 Faire de nouveau chauffer l'huile. Battre l'œuf en mousse à l'aide d'un mixeur. Ajouter progressivement l'huile de la poêle et continuer de battre jusqu'à ce qu'une mayonnaise se forme.

6 Répartir la mayonnaise sur le poisson. Servir garni d'ail et de piment cuits.

# Calmars
## à la galicienne

**Pour 4 personnes**

1 pomme de terre moyenne
à chair ferme

sel

300 g de calmars

175 g de gambas

3 à 5 cuil. à soupe d'huile
d'olive

2 gousses d'ail

1 tomate

poivre

Préparation : env. 30 minutes
(plus temps de cuisson)
Par personne, env. 180 kcal/757 kJ
Protéines 22 g, lipides 5 g,
glucides 10 g

1 Éplucher les pommes de terre, laver et faire cuire 20 min dans de l'eau salée. Laisser tiédir, couper en tranches et mettre dans une terrine. Nettoyer les calmars, laver et couper en fines rondelles.

2 Décortiquer les gambas, retirer l'intestin, laver et égoutter. Saler. Faire chauffer 2 cuillerées à soupe d'huile d'olive. Éplucher l'ail et faire revenir à feu doux dans l'huile, avec les gambas et les rondelles de calmar jusqu'à ce que les gambas rosissent.

3 Ébouillanter les tomates 30 secondes, puis les monder et les couper en deux. Couper le pédoncule, épépiner et couper en dés. Mettre les gambas et les calmars dans la terrine avec les pommes de terre. Ajouter les dés de tomate et mélanger délicatement.

4 Faire chauffer à feu vif l'huile restante et en arroser la préparation. Saler, poivrer et mélanger. Répartir dans des ramequins et servir avec du pain frais.

# Crevettes au four
## à la mayonnaise au safran

**Pour 4 personnes**

500 g de crevettes prêtes
à l'emploi

2 gousses d'ail

75 ml d'huile d'olive

2 cuil. à soupe de jus
de citron

sel

2 jaunes d'œufs

1 pincée de safran en poudre

env. 200 ml d'huile
de tournesol

poivre

Préparation : env. 15 min
(plus temps de cuisson)
Par personne,
env. 560 kcal/2 352 kJ
Protéines 28 g, lipides 50 g,
glucides 3 g

1 Préchauffer le four à 175 °C (th. 6). Décortiquer les crevettes en conservant la queue. Laver les crevettes et essuyer. Éplucher l'ail et hacher finement.

2 Bien mélanger l'huile d'olive avec l'ail, 1 cuillerée à soupe de jus de citron et du sel. Ajouter les crevettes et mélanger soigneusement. Transférer le tout dans un plat à gratin ou un plat en fonte et faire cuire environ 20 min au four.

3 Pendant ce temps, mélanger énergiquement les jaunes d'œufs avec le safran en poudre, le sel et 1 cuillerée à soupe de jus de citron. Au début, verser l'huile de tournesol goutte à goutte, puis ajouter progressivement le reste d'huile en un fin filet. Rectifier l'assaisonnement en ajoutant du sel et du poivre. Servir les crevettes cuites avec la mayonnaise au safran et du pain grillé.

# Homard
## mariné

**Pour 4 personnes**

150 ml de fumet de poisson

2 tranches de citron

1 feuille de laurier

1 brin de thym

1 brin de persil

1 oignon

quelques grains de poivre

1 homard, env. 1 kg

4 cuil. à soupe d'huile d'olive

1 cuil. à soupe de jus
de citron

sel

poivre

cresson pour servir

Préparation : env. 15 min
(plus temps de cuisson)
Par personne, env. 179 kcal/752 kJ
Protéines 25 g, lipides 3 g,
glucides 9 g

*1* Verser le fumet de poisson avec 175 ml d'eau, les tranches de citron, la feuille de laurier et les herbes lavées dans un fait-tout.

*2* Éplucher les oignons, couper en quatre et les incorporer au bouillon. Porter à ébullition et ajouter quelques grains de poivre grossièrement concassés.

*3* Plonger le homard dans l'eau de cuisson bouillante et laisser mijoter environ 20 min.

*4* Pour la sauce, mélanger l'huile d'olive énergiquement avec le jus de citron, saler et poivrer.

*5* Laisser refroidir le homard, puis retirer la carapace. Couper la chair en petits morceaux.

*6* Extraire également la chair des pinces et la couper en morceaux. Disposer sur les assiettes et arroser avec un peu de sauce. Parsemer de cresson et servir.

# Dorade
## frite

**Pour 4 personnes**

125 g de farine

60 g d'amidon alimentaire

sel

1 à 2 cuil. à café de jus
de citron

1 jaune d'œuf

1 citron pour la garniture

500 g de filet de dorade

farine

huile de friture

Préparation : env. 15 min
(plus temps de cuisson)
Par personne,
env. 515 kcal/2 163 kJ
Protéines 26 g, lipides 28 g,
glucides 38 g

1 Mélanger la farine et l'amidon avec un peu de sel et 250 ml d'eau jusqu'à obtention d'un mélange lisse. Incorporer un peu de jus de citron et le jaune d'œuf. Couvrir et laisser lever 15 min au réfrigérateur.

2 Pendant ce temps, laver le citron, sécher et couper en morceaux. Couper le poisson en morceaux.

3 Laver le poisson, sécher et recouper en cubes. Saupoudrer avec un peu de farine et plonger dans la pâte. Faire chauffer l'huile de friture jusqu'à ce qu'elle commence à fumer.

4 Faire dorer le poisson et laisser cuire à point. Retirer de la sauteuse et laisser égoutter sur du papier absorbant. Garnir avec du citron et servir très chaud.

# Escargots
## à l'andalouse

**Pour 4 personnes**

500 g d'escargot
de Bourgogne cuits

125 g de jambon serrano

4 tomates

2 oignons

4 gousses d'ail

3 cuil. à soupe d'huile d'olive

1 feuille de laurier

1 piment doux séché

sel

1 cuil. à soupe de paprika
très fort en poudre

75 g d'amandes pilées

un peu de safran

persil haché pour servir

Préparation : env. 20 min
(plus temps de cuisson)
Par personne,
env. 348 kcal/1 460 kJ
Protéines 28 g, lipides 22 g,
glucides 9 g

1 Égoutter les escargots. Couper le jambon en fines lanières.

2 Ébouillanter la tomate 30 secondes, puis monder et couper en deux. Couper le pédoncule, épépiner et hacher finement. Éplucher et hacher finement les oignons et l'ail.

3 Faire chauffer l'huile d'olive et faire revenir les oignons et l'ail. Ajouter le laurier, le piment doux et les tomates. Laisser mijoter 20 min.

4 Saler la préparation et incorporer le piment en poudre et le jambon. Laisser cuire encore 5 min.

5 Ajouter ensuite les escargots, les amandes et le safran, et laisser mijoter encore 10 min à feu doux. Disposer dans des plats creux et servir parsemé de beaucoup de persil et accompagné de pain frais.

# Espadon
## à la sauce safran

**Pour 4 personnes**

500 g d'espadon

1 petit oignon

1 gousse d'ail

1 cuil. à soupe d'huile d'olive

1 cuil. à soupe de poivron vert haché

1 tomate mondée et coupée en dés

2 cuil. à soupe de cognac

2 à 3 cuil. à soupe de bouillon de volaille

sel

poivre

1 cuil. à café de noix muscade râpée

1 pincée de safran moulu

Préparation : env. 15 min
(plus temps de cuisson)
Par personne, env. 201 kcal/845 kJ
Protéines 26 g, lipides 9 g,
glucides 3 g

*1* Laver le poisson, essuyer et découper en gros cubes de 4 x 4 cm. Éplucher l'oignon et l'ail, et hacher finement. Faire chauffer l'huile et faire revenir l'oignon et l'ail.

*2* Ajouter le poivron coupé en dés et faire cuire jusqu'à ce qu'il devienne tendre. Ajouter les dés de tomate et laisser cuire environ 1 min à feu vif.

*3* Ajouter le cognac et le bouillon, et mélanger. Rectifier l'assaisonnement en ajoutant du sel, du poivre et beaucoup de noix de muscade. Ajouter le safran et bien mélanger.

*4* Incorporer le poisson coupé en cubes et laisser mijoter environ 10 min à feu doux, jusqu'à ce que le poisson soit à point. Servir le poisson dans la sauce accompagné de pain.

# Praires au piment
## et au xérès

**Pour 4 personnes**

5 oignons

60 g de jambon

1 petit piment doux rouge

2 cuil. à soupe d'huile d'olive

1 cuil. à soupe de xérès
demi-sec

60 petites praires prêtes
à l'emploi

Préparation : env. 15 min
(plus temps de cuisson)
Par personne, env. 170 kcal/710 kJ
Protéines 21 g, lipides 4 g,
glucides 13 g

1 Éplucher les oignons et émincer en très fines tranches. Couper le jambon en petits dés. Laver le piment, couper en deux. Sécher et couper en petits morceaux.

2 Faire chauffer l'huile d'olive et faire blondir les oignons à couvert environ 10 min à feu doux.

3 Ajouter le jambon et le piment, arroser avec le xérès et ajouter les praires.

4 Laisser cuire à feu doux quelques minutes à découvert, jusqu'à ce que les praires s'ouvrent.

5 Retirer les praires et éliminer celles qui ne sont pas ouvertes. Remettre les praires restantes dans le jus de cuisson. Les servir avec le jus de cuisson.

# Moules
## marinées

**Pour 4 personnes**

1/2 petite carotte

1 branche de céleri, env.
15 cm

1 rondelle d'oignon

75 ml de vin blanc

1/2 cuil. à café de vinaigre
de vin

1/2 cuil. à café de thym

1 clou de girofle

sel

poivre

250 g de moules

2 cuil. à café de beurre

2 cuil. à café de persil haché

Préparation : env. 25 min
(plus temps de cuisson)
Par personne, env. 74 kcal/312 kJ
Protéines 2 g, lipides 4 g,
glucides 4 g

1 Nettoyer la carotte, éplucher et couper en fines rondelles. Nettoyer le céleri, laver et hacher. Couper la rondelle d'oignon en deux.

2 Porter le vin à ébullition avec le vinaigre, l'oignon, le céleri, la carotte ainsi que le thym, le clou de girofle, le sel et le poivre dans un fait-tout. Couvrir et laisser mijoter 10 min.

3 Ajouter les moules et laisser mijoter environ 6 min. Retirer les moules et maintenir au chaud. Jeter les moules qui ne sont pas ouvertes. Incorporer le beurre et le persil au jus de cuisson. Remettre les moules dans la sauce, faire réchauffer et servir.

Sauces, pains et fromages

# Sauce
## à l'ail

**Pour 4 personnes**

1/2 tête d'ail

sel

30 g d'olives vertes

100 g de câpres en bocal

env. 500 ml d'huile d'olive
pressée à froid

4 jaunes d'œufs

poivre noir

un peu de jus de citron

Préparation : env. 10 min
Par personne,
env. 673 kcal/2 825 kJ
Protéines 4 g, lipides 72 g,
glucides 5 g

1 Éplucher l'ail, dissocier les gousses et mixer avec un peu de sel à l'aide d'un robot culinaire. Dénoyauter les olives et ajouter à l'ail. Égoutter les câpres et incorporer à l'ail.

2 Mixer avec autant d'huile d'olive pressée à froid que nécessaire afin d'obtenir une consistance crémeuse.

3 Incorporer le jaune d'œuf et mixer énergiquement jusqu'à obtention d'un mélange homogène. Rectifier l'assaisonnement en ajoutant du sel, du poivre fraîchement moulu et du jus de citron.

4 La sauce peut se conserver 3 à 4 jours au réfrigérateur. Elle s'harmonise particulièrement bien avec des brochettes de viande ou de poisson grillés.

# Figues farcies
## au four

**Pour 4 personnes**

8 figues mûres

150 g de fromage
de chèvre tendre

1 orange non traitée

8 brins de romarin

1 pincée de piment
de Cayenne

sel

8 fines tranches de jambon
serrano

2 cuil. à soupe d'huile d'olive

Préparation : env. 15 min
(plus temps de cuisson)
Par personne, env. 158 kcal/662 kJ
Protéines 10 g, lipides 8 g,
glucides 10 g

*1* Préchauffer le four à 190 °C (th. 6-7). Nettoyer les figues et sécher avec précaution. Couper les figues en quatre sans séparer complètement les quartiers.

*2* Couper le fromage en 8 morceaux. Laver l'orange à l'eau chaude et sécher. Râper l'écorce d'orange à l'aide d'un canneleur. Laver le romarin et égoutter.

*3* Fourrer la figue avec le fromage, parsemer de zeste d'orange et saupoudrer d'un peu de piment de Cayenne et de sel.

*4* Envelopper chaque figue d'une tranche de jambon serrano et maintenir en piquant un brin de romarin.

*5* Disposer les figues sur une plaque de four et arroser avec un peu d'huile d'olive. Faire cuire environ 10 min au four préchauffé à 190 °C (th. 6-7) et servir chaud ou très chaud.

# Pain
## perdu

**Pour 4 personnes**

2 œufs

env. 100 ml de vin rouge
ou de xérès

4 cuil. à soupe d'huile

8 épaisses tranches de pain
blanc sec

sucre pour saupoudrer

1 pincée de cannelle

Préparation : env. 15 min
Par personne, env. 135 kcal/567 kJ
Protéines 4 g, lipides 9 g,
glucides 4 g

1 Battre les œufs dans une assiette creuse. Verser le vin rouge ou le xérès dans une autre assiette creuse.

2 Faire chauffer l'huile dans une poêle. Immerger les tranches de pain l'une après l'autre, d'abord dans le vin puis dans l'œuf battu.

3 Faire cuire les tranches de pain immédiatement dans l'huile chaude pour les faire dorer des deux côtés, jusqu'à ce qu'elles soient croustillantes.

4 Retirer le pain de la poêle, laisser égoutter sur du papier absorbant et saupoudrer avec un peu de sucre et de cannelle en poudre.

# Tomates
## en coulis

**Pour 4 personnes**

1 boîte de 450 g de tomates

5 gousses d'ail

2 cuil. à soupe de vinaigre
de vin

sel

poivre

cumin

1 pincée de paprika en
poudre

4 cuil. à soupe d'huile d'olive
pressée à froid

500 g de tomates

Préparation : env. 15 min
(plus temps de réfrigération
Par personne, env. 88 kcal/368 kJ
Protéines 2 g, lipides 6 g,
glucides 6 g

1 Réduire les tomates en boîte en purée avec leur jus à l'aide d'un mixeur électrique. Éplucher l'ail, hacher et ajouter.

2 Ajouter le vinaigre de vin, du sel, du poivre, du cumin et le paprika, et réduire le tout en purée fine. Incorporer progressivement l'huile d'olive.

3 Laver, puis essuyer les tomates fraîches. Couper le pédoncule et couper en quartiers.

4 Disposer les tranches de tomate dans un plat et napper avec la sauce tomate. Placer au réfrigérateur 30 min avant de servir.

# Figues farcies
## au fromage

**Pour 4 personnes**

4 figues fraîches

1 à 2 cuil. à soupe de xérès doux

175 g de fromage espagnol

un peu de thym

2 cuil. à soupe d'huile d'olive

poivre

Préparation : env. 10 min
(plus temps de macération)
Par personne, env. 102 kcal/428 kJ
Protéines 11 g, lipides 5 g,
glucides 4 g

1 Nettoyer les figues et les sécher avec précaution. Couper les figues en tranches dans la hauteur et arroser de xérès.

2 Couper le fromage en 8 morceaux de 4 x 4 cm environ et disposer dans un plat creux.

3 Laver le thym, égoutter et effeuiller. Mélanger le thym avec l'huile d'olive et le poivre, ajouter au fromage et remuer. Couvrir et laisser mariner au moins 1 heure.

4 Superposer les tranches de figue en alternant avec 2 morceaux de fromage par fruit et servir.

# Salsa
## fresca

**Pour 4 personnes**

1 botte d'oignons verts
500 g de tomates
2 piments doux verts
4 cuil. à soupe d'huile
4 cuil. à soupe de bière
1 cuil. à soupe de jus
de citron
1 cuil. à soupe de purée
de tomates
2 cuil. à café de sucre
sel
1 gousse d'ail

Préparation : env. 20 min
(plus temps de macération)
Par personne, env. 91 kcal/382 kJ
Protéines 2 g, lipides 5 g,
glucides 8 g

1 Nettoyer les oignons verts, laver puis couper en petits morceaux.

2 Ébouillanter les tomates, monder et couper en deux. Couper le pédoncule, épépiner et couper en petits dés.

3 Couper le piment en morceaux. Mélanger l'huile avec la bière, le jus de citron, la purée de tomates, le sucre et le sel. Éplucher les échalotes, hacher et ajouter au mélange.

4 Saler les légumes préparés, ajouter à la sauce et mélanger.

5 Laisser la salsa macérer au moins 1 h. La salsa fresca se marie très bien avec la viande.

# Tapenade de tomates
## au fromage frais

**Pour 4 personnes**

1 gousse d'ail

1 échalote

125 g d'olives noires

7 tomates séchées à l'huile

2 ciboules

125 g de fromage frais

1 cuil. à soupe d'huile d'olive

sel

piment de Cayenne

un peu de basilic

Préparation : env. 15 min
Par personne,
env. 240 kcal/1 011 kJ
Protéines 5 g, lipides 23 g,
glucides 5 g

1 Éplucher l'ail et l'échalote, hacher finement et placer dans un mixeur. Dénoyauter les olives, couper en gros morceaux et ajouter au mélange. Couper les tomates en gros morceaux et ajouter au mélange avec l'huile. Mixer et réduire l'ensemble en une purée fine.

2 Nettoyer les ciboules, laver et hacher grossièrement. Passer au mixeur pour réduire en purée. Ajouter et mixer brièvement le fromage frais accompagné de l'huile d'olive. Rectifier l'assaisonnement en ajoutant du sel et le piment de Cayenne. Si la pâte est trop ferme, rajouter de l'huile d'olive.

3 Laver le basilic, égoutter et effeuiller. Transférer le tout dans un saladier et servir accompagné de pain grillé ou de pommes de terre au four.

# Pain
## catalan

**Pour 4 personnes**

5 cuil. à soupe d'huile d'olive
pressée à froid
4 gousses d'ail
4 tranches de pain
de campagne, env. 2 cm
d'épaisseur
1 ou 2 tomates très mûres

Préparation : env. 15 min
Par personne, env. 149 kcal/624 kJ
Protéines 3 g, lipides 5 g,
glucides 22 g

1 Verser l'huile d'olive pressée à froid dans un petit saladier. Éplucher l'ail, hacher et ajouter à l'huile d'olive.

2 Faire dorer les tranches de pain l'une après l'autre à la poêle dans de l'huile aillée très chaude.

3 Retirer le pain, laisser tiédir et badigeonner d'huile aillée sur les deux faces.

4 Laver les tomates très mûres, essuyer et couper en deux, puis en fins quartiers.

5 Frotter énergiquement les tranches de pain avec les demi-tomates et servir avec les tomates.

# Pain grillé
## aux crevettes aillées

**Pour 4 personnes**

250 g de crevettes prêtes
à l'emploi

sel marin

2 gousses d'ail

2 cuil. à soupe d'huile d'olive

2 piments doux secs

12 petites tranches de pain
de campagne

2 cuil. à soupe de persil

Préparation : env. 10 min
(plus temps de macération)
Par personne,
env. 253 kcal/1 061 kJ
Protéines 17 g, lipides 5 g,
glucides 35 g

1 Saupoudrer les crevettes de sel marin et laisser macérer environ 10 min. Éplucher les gousses d'ail et couper en deux.

2 Faire chauffer l'huile d'olive dans une poêle et faire fondre l'ail et le piment sec sans faire dorer l'ail. Hacher l'ail et incorporer à l'huile.

3 Ajouter les crevettes et faire cuire en remuant jusqu'à ce qu'elles rosissent et soient cuites à point. Retirer la poêle du feu.

4 Faire griller les tranches de pain des deux côtés pour qu'elles soient bien dorées. Disposer les crevettes sur le pain et parsemer avec du persil haché.

# Manchego
## à la gelée de coings

**Pour 4 personnes**

200 g d'abricots frais ou secs

150 g de gelée de coings

400 g de manchego

1 cuil. à soupe d'amandes hachées

un peu de romarin pour la garniture

Préparation : env. 15 min
(plus temps de trempage)
Par personne,
env. 293 kcal/1 229 kJ
Protéines 26 g, lipides 6 g,
glucides 30 g

1 Faire tremper les abricots secs environ 15 min dans l'eau chaude puis les couper en morceaux. En cas d'utilisation d'abricots frais, peler, couper en deux et dénoyauter. Ensuite, couper des tranches d'environ 3 mm d'épaisseur.

2 Faire légèrement chauffer la gelée de coings dans une casserole et mélanger avec les abricots.

3 Couper le fromage avec la croûte en tranches d'environ 5 mm d'épaisseur. Découper les tranches en petits triangles.

4 Disposer le mélange d'abricots sur les triangles de fromage. Parsemer avec des amandes hachées et garnir de romarin lavé. Servir avec ou sans pain.

# Sauce piquante
## au fromage

**Pour 4 personnes**

4 piments doux séchés
2 piments forts séchés
2 gousses d'ail
sel
6 cuil. à soupe de manchego
fraîchement râpé
env. 4 cuil. à soupe d'huile
d'olive
un peu de coriandre
ou de persil pour la garniture

Préparation : env. 15 min
(plus temps de trempage)
Par personne, env. 45 kcal/187 kJ
Protéines 4 g, lipides 2 g,
glucides 2 g

1 Faire tremper les piments doux et les piments forts séchés environ 30 min dans l'eau chaude. Égoutter soigneusement, hacher finement et piler dans un mortier ou un mixeur.

2 Éplucher l'ail, hacher finement et apporter aux piments avec du sel. Réduire en purée fine.

3 Transférer la purée dans un saladier. Incorporer le fromage fraîchement râpé et mélanger.

4 Incorporer progressivement l'huile d'olive en battant énergiquement la sauce. Remuer aussi longtemps que nécessaire pour obtenir un mélange homogène.

5 Laver la coriandre ou le persil, égoutter et utiliser pour garnir la sauce au fromage. Servir avec des croûtons de pain grillés.

# Fromage de brebis mariné
## aux fines herbes

**Pour 4 personnes**

2 poivrons verts

4 gousses d'ail

1/2 bouquet de coriandre

1/2 bouquet de persil

sel

1/4 de cuil. à café de cumin moulu

100 ml d'huile d'olive pressée à froid

5 cuil. à soupe de vinaigre de vin rouge

450 g de fromage de brebis frais

Préparation : env. 20 min (plus temps de macération)
Par personne,
env. 520 kcal/2 184 kJ
Protéines 21 g, lipides 47 g, glucides 4 g

1 Pour la marinade, nettoyer les poivrons verts, laver et couper en deux. Couper le pédoncule, épépiner et couper en petits dés.

2 Éplucher l'ail et hacher très finement. Laver les herbes, égoutter et hacher finement.

3 Piler les dés de poivron, l'ail et les herbes hachées dans un mortier avec 1/2 cuillerée à café de sel et le cumin. Concasser le tout finement.

4 Mélanger l'huile d'olive avec le vinaigre et incorporer progressivement au mélange d'herbes. Diluer légèrement la sauce.

5 Couper le fromage de brebis en morceaux d'environ 2,5 cm et placer dans un récipient. Verser toute la marinade sur le fromage puis mélanger délicatement.

6 Couvrir et laisser mariner au réfrigérateur toute la nuit.

# Manchego
## aux olives

**Pour 4 personnes**

200 g de manchego

200 g d'olives vertes

2 petits oignons

8 gousses d'ail

env. 14 cuil. à soupe d'huile d'olive

1 bouquet de persil

Préparation : env. 15 min
(plus temps de macération)
Par personne,
env. 268 kcal/1 124 kJ
Protéines 13 g, lipides 22 g,
glucides 4 g

1 Couper le manchego en morceaux de la taille d'une bouchée. Dénoyauter les olives et couper en deux. Éplucher les oignons et l'ail, et hacher finement les oignons.

2 Placer tous les ingrédients préparés dans un récipient. Hacher l'ail et ajouter aux ingrédients. Ajouter l'huile d'olive et bien mélanger.

3 Laver le persil, égoutter et hacher. Ajouter à la préparation et mélanger soigneusement. Avant de servir, couvrir et laisser mariner environ 2 h. Servir à température ambiante.

# Croûtons
## au lard et au boudin

**Pour 4 personnes**

500 g de pain blanc rassis

175 g de lard maigre

175 g de boudin noir

6 cuil. à soupe d'huile d'olive

3 gousses d'ail

sel

poivre

Préparation : env. 20 min
(plus temps de cuisson)
Par personne,
env. 665 kcal/2 793 kJ
Protéines 25 g, lipides 36 g,
glucides 61 g

1 Couper le pain rassis de 2 jours en petits morceaux ou en tranches, puis détailler en croûtons. Mettre dans un saladier et laisser tremper dans un peu d'eau froide. Envelopper dans un torchon de cuisine humide et laisser reposer toute la nuit.

2 Le lendemain, couper le lard maigre en petits dés. Couper aussi le boudin en petits dés. Faire chauffer l'huile d'olive dans une grande poêle. Éplucher l'ail et faire revenir les gousses entières, retirer et réserver. Faire griller le lard dans l'huile de cuisson, ajouter les dés de boudin et faire cuire environ 3 min. Retirer le lard et le boudin, et réserver.

3 Faire griller les croûtons 15 min dans l'huile d'olive très chaude, sans cesser de remuer jusqu'à ce qu'ils soient croustillants. Remettre le lard, les dés de boudin et l'ail dans la poêle. Laisser cuire encore 3 min et servir.

# Tapenade
## à l'andalouse

**Pour 4 personnes**

150 g d'olives noires

2 cuil. à soupe de câpres

1/2 boîte de thon à l'huile

6 filets d'anchois

1 cuil. à soupe de jus
de citron

1 cuil. à café de moutarde

6 cuil. à soupe d'huile d'olive

1/2 cuil. à café d'herbes
sèches (par ex. thym, romarin
et origan)

sel

poivre

Préparation : env. 15 min
(plus temps de macération)
Par personne,
env. 375 kcal/1 575 kJ
Protéines 12 g, lipides 35 g,
glucides 5 g

1 Égoutter les olives et les câpres, puis dénoyauter les olives. Mettre les olives et les câpres dans un mixeur.

2 Ajouter le thon égoutté et les filets d'anchois. Verser aussi le jus de citron et la moutarde, et réduire le tout en fine purée.

3 Incorporer l'huile d'olive avec précaution sans cesser de mixer. Mixer jusqu'à obtention de la consistance souhaitée.

4 Ajouter les herbes, le sel et le poivre fraîchement moulu, et mixer de nouveau.

5 Rectifier éventuellement l'assaisonnement, couvrir et laisser mariner au moins 3 h. Servir accompagné de pain grillé.

# Boulettes
## de fromage frites

**Pour 4 personnes**

huile d'olive pour la friture

2 blancs d'œufs

5 tiges d'herbes, par ex.
persil, ciboulette

120 g de manchego

75 g de morceaux
de pain frais

sel

poivre

paprika en poudre

quelques brins de thym
pour la garniture

Préparation : env. 15 min
(plus temps de cuisson)
Par personne, env. 213 kcal/895 kJ
Protéines 11 g, lipides 14 g,
glucides 10 g

1 Faire chauffer l'huile d'olive à 180 °C (th. 6).
Pendant ce temps, battre les blancs d'œufs en neige dans une terrine. Ils ne doivent pas devenir trop fermes.

2 Laver les herbes, égoutter et hacher finement.
Râper finement le fromage. Ajouter avec les herbes hachées aux œufs en neige et incorporer délicatement. Saler, poivrer et saupoudrer de paprika en poudre.

3 Avec la préparation, former des boulettes de la taille d'une noix à l'aide de deux cuillères à café.
Plonger immédiatement dans l'huile d'olive bouillante. Faire frire environ 3 min sur toute la surface jusqu'à ce que les boulettes soient dorées.

4 Retirer de l'huile et laisser égoutter sur du papier absorbant. Servir garni de thym.

# Purée
## d'aubergine

**Pour 4 personnes**

1 grosse aubergine

jus d'un demi-citron

2 à 3 cuil. à soupe d'huile
d'olive pressée à froid

2 gousses d'ail

2 cuil. à soupe de coriandre
hachée ou de persil

1/2 cuil. à café de piment
de Cayenne

sel

poivre fraîchement moulu


Préparation : env. 10 min
(plus temps de macération
et de cuisson)
Par personne, env. 41 kcal/173 kJ
Protéines 1 g, lipides 3 g,
glucides 3 g

1 Préchauffer le four à 200 °C (th. 6-7). Disposer l'aubergine sur une plaque de four et faire cuire environ 30 min au four préchauffé, jusqu'à ce que la peau noircisse.

2 Retirer et laisser refroidir l'aubergine. Couper l'aubergine en deux dans le sens de la longueur et détacher la chair de la peau. Presser le citron.

3 Placer la chair dans une terrine et ajouter le jus de citron. Éplucher l'ail, hacher et incorporer au mélange.

4 Ajouter la coriandre ou le persil hachés et mélanger soigneusement.

5 Assaisonner généreusement la préparation en ajoutant le piment de Cayenne, du sel et du poivre fraîchement moulu.

6 Couvrir la purée d'aubergine et laisser macérer au moins 4 h au réfrigérateur.

# Pesto
## frais

**Pour 4 personnes**

125 g de pignons

50 g de fromage espagnol
à pâte dure, par ex. manchego

2 à 3 cuil. à soupe d'huile
d'olive pressée à froid

1 cuil. à café de gros sel
marin

1 gousse d'ail

1 bouquet de basilic

Préparation : env. 20 min
Par personne,
env. 353 kcal/1 481 kJ
Protéines 12 g, lipides 33 g,
glucides 3 g

1 Faire griller les pignons à sec dans une poêle.
Retirer de la poêle et réserver quelques pignons
pour la garniture. Laisser refroidir le reste puis placer
dans un mortier. (Ne pas travailler avec un appareil
électrique.)

2 Concasser les pignons. Râper le fromage, ajouter
aux pignons concassés et mélanger.

3 Ajouter progressivement l'huile d'olive et le sel
au mélange. Éplucher l'ail, hacher et incorporer
à la préparation. Piler soigneusement le mélange en
une pâte crémeuse.

4 Laver le basilic, égoutter et effeuiller.

5 Ciseler finement les feuilles de basilic, ajouter à
la préparation et mélanger.

6 Tartiner la pâte sur du pain et garnir avec des
pignons.

# Brochettes de pain aillé
## aux gambas

**Pour 4 personnes**

8 asperges vertes

sel

8 fines tranches de jambon
serrano

1 gousse d'ail

8 tranches de pain
de campagne

8 gambas prêtes à l'emploi

4 cuil. à soupe d'huile d'olive
pressée à froid

1 cuil. à soupe de vinaigre
de xérès

8 olives noires

2 cuil. à soupe de câpres

8 brochettes en bois


Préparation : env. 30 min
Par personne,
env. 293 kcal/1 229 kJ
Protéines 16 g, lipides 13 g,
glucides 28 g

1. Nettoyer les asperges, laver et couper en deux. Faire cuire les asperges environ 1 min dans un peu d'eau salée. Retirer et égoutter. Couper le jambon en deux dans le sens de la longueur, y enrouler les asperges et couper en morceaux. Éplucher l'ail et couper en deux.

2. Faire griller les tranches de pain à la poêle. Frotter le pain avec l'ail et couper en cubes d'environ 2,5 x 2,5 cm.

3. Piquer sur les brochettes en alternant les croûtons, les morceaux d'asperges et les gambas. Disposer les brochettes sur une plaque de four et badigeonner avec un peu d'huile. Faire cuire des deux côtés environ 4 min sous le gril.

4. Sortir du four. Arroser les brochettes avec le reste d'huile et le vinaigre. Garnir avec des olives dénoyautées et des câpres, puis servir.

# Index des recettes